COLLECTION

ROGER-BERNARD

Chroniques d'une vie politique mouvementée
L'Ontario francophone de 1986 à 1996

DE LA MÊME AUTEURE

Linda Cardinal et Caroline Andrew (sous la direction de), *La démocratie à l'épreuve de la gouvernance*, Ottawa, PUO, 2000, 240 p.

L'engagement de la pensée. Écrire en milieu minoritaire francophone au Canada, Ottawa, Le Nordir, 1997, 189 p.

Linda Cardinal, Jean Lapointe et Joseph Yvon Thériault, *État de la recherche sur les communautés francophones hors Québec, 1980-1990*, Ottawa, CRCCF/PUO, 1994, 198 p.

Linda Cardinal (sous la direction de), *Une langue qui pense*, Ottawa, PUO, 1993, 182 p.

Linda Cardinal

en collaboration avec
Caroline Andrew
et
Michèle Kérisit

Chroniques d'une vie politique mouvementée
L'Ontario francophone de 1986 à 1996

essai

LA COLLECTION ROGER-BERNARD est ainsi nommée en hommage à ce sociologue, dont le manuscrit *De Québécois à Ontarois* fut à l'origine de la fondation du Nordir, et dont les travaux ont marqué la vie intellectuelle canadienne-française. Il est décédé en juillet 2000, à l'âge de 55 ans.

Données de catalogage avant publication (Canada)
Cardinal, Linda, 1959-
Chroniques d'une vie politique mouvementée : l'Ontario francophone de 1986 à 1996 : essai
(Roger-Bernard)
Comprend des références bibliographiques.
ISBN 2-89531-011-4
1. Canadiens français, Services aux -- Ontario. 2. Canadiens français -- Droits -- Ontario. 3. Politique linguistique -- Ontario. 4. Ontario -- Politique et gouvernement -- 1985-1990. 5. Ontario -- Politique et gouvernement -- 1990-1995. I. Andrew, Caroline, 1942- II. Kérisit, Michèle, 1951- III. Titre. IV. Collection.
FC3100.5.C314 2001 305.811'40713 C00-901763-1
F1059.7.F83C314 2001

Correspondance :
Département des lettres françaises, Université d'Ottawa
60, rue Université, Ottawa, Ontario K1N 6N5
Tél. (819) 243-1253 - Téléc. (819) 243-6201
lenordir@sympatico.ca

Mise en page : Robert Yergeau
Correction des épreuves : Jacques Côté

Le Nordir est subventionné par le Conseil des Arts du Canada, par le Conseil des arts de l'Ontario, par Ottawa et par le ministère du Patrimoine canadien dans le cadre du PADIÉ.

Dépôt légal : premier trimestre 2001

ISBN 2-89531-011-4

Canada
Ottawa-Carleton

À Lyne Bouchard

Remerciements

La rédaction de ce livre a été rendue possible en partie par une subvention du Conseil de recherches en sciences humaines du Canada destinée à une recherche sur le thème de la culture politique des droits au Canada. Nos travaux ont aussi bénéficié de l'appui financier des ministères ontariens des Services sociaux et communautaires et de la Santé. Nous tenons à souligner la contribution particulière des personnes ayant participé à ce projet, à différents titres : Dyane Adam, Lyne Bouchard, Françoise Boudreau, Denyse Culligan, Hélène Dallaire, Diane Farmer, Gilles Huot, Denise Lemire, Réjean Nadeau et Anne Rochon Ford. Nous tenons également à remercier toutes les personnes qui ont accepté de participer à notre enquête.

Remerciements aussi à Momar Diagne et à Marie-Ève Hudon, étudiants à la maîtrise au département de science politique de l'Université d'Ottawa.

Introduction

LE PRÉSENT ouvrage porte sur le thème de la vitalité politique du milieu francophone de l'Ontario, notamment sa capacité à participer au processus politique et à influencer la mise en œuvre de ses droits. Notre étude concerne la période 1986-1996, parce qu'en 1986 l'Assemblée législative de l'Ontario adoptait, à l'unanimité et pour la première fois de son histoire, une législation qui accorde le droit légal à tous les citoyens de la province de recevoir des services en français dans l'ensemble des services gouvernementaux. En pratique, la nouvelle législation sert à encadrer une bonne partie des services en français déjà existants ; elle institue un bilinguisme de fait dans vingt-deux régions de la province comprenant plus de 5 000 francophones ou 10 % de la population. En 1996, une vingt-troisième région a été ajoutée aux régions désignées existantes[1].

L'étude s'arrête en 1996 car, depuis 1995, l'arrivée au pouvoir du Parti progressiste-conservateur a marqué le début d'une ère nouvelle pour l'Ontario. Ce dernier est élu à l'issue d'une campagne électorale ayant porté, entre autres choses, sur la mauvaise gestion des néo-démocrates et la réduction des services du secteur public ontarien. De fait, une fois au pouvoir, les conservateurs effectuent des coupes dans l'ensemble des services publics, dont les services en français. De plus, dès les premiers jours de son mandat, le nouveau premier ministre de la province, Mike Harris, reçoit cinq lettres de la part de l'*Association for the Preservation of English in Canada* (APEC), rebaptisé en 2000 *Canadians Against Bilingualism Injustice* (CABI), lui demandant de mettre fin à la *Loi sur les services en français*[2]. Malheureusement pour les francophones de la province, Mike Harris aurait appuyé le groupe illico. Or, devant le tollé de protestations de la part du milieu francophone, le premier ministre doit prendre ses distances vis-à-vis de l'APEC et rassurer les francophones de la province. Mais il venait de révéler l'attitude qu'il allait adopter à l'égard des services en français, une attitude de repli.

Sur le plan théorique et méthodologique, cet ouvrage se situe dans le champ de la théorie des mouvements sociaux. Nous inscrivons notre préoccupation pour la vitalité politique du milieu francophone dans les débats en cours sur l'influence des groupes sur le changement social. Toutefois, la question est encore peu étudiée comparativement aux travaux existants sur l'identité et la culture des mouvements sociaux, leurs formes de mobilisations et revendications ou types d'organisations[3]. Selon Edwin Amenta et Michael P. Young, les approches existantes, dont la théorie de la mobilisation des ressources aux États-Unis et celle des nouveaux mouvements sociaux en France, ont, jusqu'à présent, tenu pour acquis l'impact des groupes et des acteurs sur le changement social[4]. Cet ouvrage tentera de préciser les conditions sous lesquelles ces derniers, en Ontario francophone, ont participé au changement ou ont fait preuve de vitalité politique.

Cette étude constitue une version remaniée d'un rapport de recherche déposé en 1997, auprès de la Table féministe francophone de concertation provinciale de l'Ontario (La Table)[5]. Cette dernière souhaitait entamer une réflexion poussée sur les conditions générales à partir desquelles les groupes francophones pourraient jouer un rôle plus grand dans le développement des services en français en Ontario. La Table voulait développer sa capacité d'intervention dans les domaines de la santé et des services sociaux, en raison de l'importance de ces questions dans la vie des femmes et de leurs familles. De plus, elle considérait que les femmes devaient s'intéresser davantage aux questions associées à la prestation des services de santé et des services sociaux, car elles étaient les premières concernées par les réformes des gouvernements dans ces domaines. L'étude devait également permettre à des fonctionnaires francophones associés de près au développement des services en français en Ontario, dans les domaines de la santé et des services sociaux, de faire un bilan de la situation. Elle était destinée au milieu associatif et gouvernemental.

En 1997, l'étude a été publiée et a circulé dans l'ensemble du milieu associatif francophone[6]. Par la suite, nous avons également participé, en collaboration avec le Comité santé de la Table féministe, à la préparation d'un volet action devant servir à la production d'outils de sensibilisation des femmes et des groupes de femmes à la question des conditions de possibilités des services en français en Ontario. De 1998 à 1999, nous avons repris les résultats de la recherche et nous avons procédé à une deuxième lecture des données en vue de la préparation de cet ouvrage. Toutefois, ce dernier comporte certaines limites.

Dans un premier temps, ce livre ne contient pas d'historique des services de santé ou des services sociaux en français, en Ontario. Un tel travail reste à faire. Dans un deuxième temps, nous ne prétendons aucunement à l'exhaustivité. Nous avons procédé à une description des perceptions de certains acteurs engagés dans le développement des services de santé et des services sociaux en français. Nous avons cherché à incorporer ces perceptions à une présentation plus large du contexte dans lequel ces acteurs sont intervenus depuis 1986, mais nous sommes conscientes que notre analyse demeure incomplète. Malgré ces limites, notre étude propose des données qui permettent de jeter un certain éclairage sur la vitalité politique du milieu francophone depuis 1986. Nous avons accordé notamment un statut particulier aux perceptions des acteurs sur le plan des connaissances. Celles-ci constituent un bon point de départ en vue de développer une connaissance plus intime de leur rôle dans le changement social.

Ce livre contient quatre chapitres. Le premier est consacré à une présentation plus détaillée de notre objet et de notre problématique de recherche. Le deuxième chapitre porte sur les années soixante et le contexte ayant permis l'avènement d'un mouvement de revendications en faveur des droits des francophones de l'Ontario. Il contient également un inventaire des principales mesures adoptées par le gouvernement ontarien à l'égard des francophones de la province depuis les années soixante. Dans le troisième chapitre, nous avons accordé une attention particulière aux perceptions de la *Loi sur les services en français* par les acteurs travaillant dans les domaines de la santé et des services sociaux. Nous décrivons également le rôle des acteurs dans la mise en œuvre et le développement des services en français dans les domaines de la santé et des services sociaux, ainsi que leurs stratégies. Le dernier chapitre tente de préciser la façon dont les acteurs et les utilisatrices des services en français se représentent l'organisation et l'avenir des services en français en Ontario depuis 1995. Pour conclure, nous effectuons un retour sur le thème de la vitalité politique du milieu francophone de l'Ontario à la lumière de la théorie des mouvements sociaux.

Chapitre 1
L'Ontario francophone
Problématique et questions de recherche

L'Ontario francophone

L'ONTARIO EST la province la plus populeuse du Canada avec le Québec. Elle comprend 11,5 millions d'habitants comparativement à 7,3 millions au Québec, sur environ 30,5 millions de personnes pour le pays[7]. Le poids de l'Ontario a toujours été imposant au Canada. Non seulement est-ce la province la plus populeuse, mais également la plus prospère et le centre de gravité du pays[8]. Sur le plan politique, de 1943 à 1985, l'Ontario a connu quarante-deux ans de gouvernement conservateur sans interruption. De 1985 à 1990, le gouvernement passe aux mains des libéraux sous la direction de David Peterson, le premier premier ministre bilingue de la province. De 1990 à 1995, le Parti néo-démocrate est porté au pouvoir, mais le Parti progressiste-conservateur revient en force en 1995 et à nouveau en 1999.

En Ontario, les personnes de langue maternelle française, selon le recensement canadien, constituent 4,7 % de la population de la province, soit 499 689 personnes[9]. Celles de culture française ou francophone ne sont pas incluses dans ce chiffre, les francophiles non plus. Ensemble, les francophones de langue maternelle ou de culture et les francophiles représentent environ 12 % de la population ontarienne, soit 1,28 million de personnes[10]. Il n'empêche que les 500 000 francophones de l'Ontario constituent, en nombre, la minorité francophone la plus importante à l'extérieur du Québec. Les Acadiens du Nouveau-Brunswick ne sont que 245 000, sauf qu'ils représentent 33 % de la population de cette province[11]. Dans les autres provinces canadiennes-anglaises, les francophones forment moins de 5 % de la population. Peu nombreux, ils sont cependant souvent majoritaires dans leur région. À titre d'exemple, dans l'est de l'Ontario, l'on trouve des concentrations importantes de francophones comme à Hawkesbury, petite ville de 11 600 habitants où les francophones représentent 85 % de la population[12]. À Ottawa, ils constituent 16 % de la population, mais 54 % de la population de Vanier[13]. L'on trouve une situation semblable dans le nord-est de la province. À Sudbury, les francophones représentent 30 % de la population ; à Timmins, ils sont 40 %[14]. Dans le Sud-Ouest (Windsor), ils sont plus minoritaires, ainsi qu'à Toronto où, sur une population de plus de 4 millions de personnes, l'on trouve de 50 000 à 60 000 francophones[15]. Le tableau 1 présente un portrait général de la répartition de la population francophone en Ontario, selon les régions.

Tableau 1

Répartition de la population francophone en Ontario, selon les régions

Régions	Population totale	Population franc. totale	% de franc. dans la pop. totale	Distribution régionale de de la pop. franc.
Centre	7 008 625	126 650	1,8 %	23,4 %
Est	1 478 160	221 100	15 %	40,8 %
Nord-Ouest	244 120	9 760	4 %	1,8 %
Sud-Ouest	1 440 510	35 870	2,5 %	6,6 %
Nord-Est	582 160	148 955	25,6 %	27,5 %
TOTAL	10 753 575	542 335	5 %	100 %

Source : Office des affaires francophones de l'Ontario. Données tirées du recensement de 1996. (http://www.ofa.gov.on.ca :80/francais/docs/overv-f.pdf).

La population francophone de l'Ontario est inégalement répartie, quant à la géographie et l'origine ethnique. Au recensement de 1996, 28 835 personnes ayant le français comme première langue officielle, donc 5,5 % de la population franco-ontarienne, appartenaient à une minorité raciale[16]. Les francophones issus des minorités raciales représentaient 22,5 % de la population francophone de Toronto et 8,9 % de la population francophone d'Ottawa-Carleton. Même si le phénomène d'immigration a caractérisé davantage les grands centres urbains de l'Ontario depuis les années soixante-dix, il est de plus en plus présent dans les autres régions de l'Ontario où l'on trouve une grande concentration de la population francophone, comme Hearst, Sudbury et Windsor[17]. Ce nouveau type d'immigrants provient en majorité des pays en voie de développement et des pays de la francophonie : de l'Afrique, de l'Asie, des Amériques et des Caraïbes[18].

Les difficultés de la population sont multiples, mais ce sont ses problèmes d'assimilation qui retiennent le plus l'attention des commentateurs. L'anglicisation des jeunes en Ontario est très importante[19]. Elle est passée de 36 % en 1971 à 44 % en 1996. À Ottawa, la capitale fédérale, ce pourcentage augmente substantiellement ; de 22 % en 1971, il passe à 26 % en 1981, à 33 % en 1991 et à 40 % en 1996. Bien que l'on ne puisse réduire un groupe à ses nombres, il est utile de se rappeler, comme nous invite à le faire Charles Castonguay, que « [l]e nombre conditionne […] à peu près tous les aspects de la vie en français au Canada, allant de la qualité de la langue parlée à la disponibilité des services en français, au taux d'anglicisation et jusqu'à la façon de se concevoir et d'agir des francophones en tant que telle[20] ». De fait, depuis 1951, il est difficile de parler de la situation des francophones hors Québec sans faire référence aux nombres ; à l'époque, le thème de l'assimilation des francophones hors Québec à l'anglais retenait déjà l'attention des spécialistes et donnait lieu à de sombres pronostics.

La situation n'a guère changé. Les spécialistes débattent toujours la question en des termes alarmants.

Depuis les années soixante, le pouvoir d'attraction du français à l'extérieur du Québec est inexistant et plus les francophones s'éloignent du Québec, plus ils s'anglicisent. À part certaines régions du Nouveau-Brunswick et de l'Ontario, ils vivent habituellement dans des milieux mixtes anglophones-francophones ou anglo-dominants[21]. Cela signifie qu'ils peuvent avoir accès à des institutions homogènes françaises comme l'école mais que, la plupart du temps, ils côtoient leurs compatriotes de langue anglaise dans des lieux publics soit bilingues soit anglophones, rarement francophones. Dans ces conditions, les francophones sont souvent appelés à vivre leur francité dans des réseaux électroniques ou autres plutôt que dans leur milieu. L'on s'en remet également à l'école afin d'assurer la construction et le maintien de l'identité francophone. Or, selon l'Association canadienne-française de l'Ontario (ACFO), « à l'heure actuelle, presque la moitié des enfants ayant un droit constitutionnel à une école de langue française étudient dans une école de langue anglaise (parfois en immersion)[22] ». La situation est dramatique, explique l'ACFO, car ces enfants, ainsi que leur descendance, vont perdre à toute fin pratique leur droit constitutionnel à une éducation en français. Ainsi, l'identité des francophones hors Québec est fragilisée, entre autres choses parce que les nombres sont limités. Mais tous ne sont pas aussi facilement inquiétés. Statistique Canada et le ministère du Patrimoine canadien puisent un réconfort dans la notion de transferts linguistiques, une notion qui évoque un phénomène de brassage entre les langues et qui empêche de mesurer les conséquences dramatiques de l'assimilation.

LE MILIEU FRANCOPHONE DEPUIS LES ANNÉES SOIXANTE

Depuis les années soixante et soixante-dix, la communauté francophone de l'Ontario a vécu des bouleversements importants. La laïcisation accélérée de la société canadienne-française et le renouveau de la question constitutionnelle ont provoqué une déstructuration importante du réseau associatif franco-ontarien constitué, au tournant du siècle, par la hiérarchie ecclésiale avec la collaboration des notables laïcs d'Ottawa, de Toronto, de Sudbury et de Windsor. De plus, l'avènement du néonationalisme québécois a forcé les Canadiens français de l'Ontario à se donner une nouvelle identité. « Canadiens, Canadiens français, Franco-Ontariens, Ontarois ; qui sommes-nous ? » écrit à l'époque Danielle Juteau[23]. S'adonnant à la même démarche, les nationalistes canadiens-français du Québec concluent qu'il faut consolider la francophonie au Québec, que l'État des Canadiens français sera l'État du Québec et non le gouvernement fédéral[24]. Se sentant laissés pour compte, les Franco-Ontariens comme le reste des francophones vivant à l'extérieur du Québec choisissent alors de rompre leurs liens avec le Québec. Toutefois, soucieux de ses liens avec les minorités canadiennes-françaises de l'extérieur de sa province, le gouvernement du Québec met en place une politique d'aide aux minorités francophones vivant hors de ses frontières, sauf qu'il ne peut pas la mettre en application, faute de financement[25].

De façon concomitante, la minorité francophone de l'Ontario vit un véritable éveil culturel important au sein de sa province. L'avènement de nouveaux groupes, en particulier dans les domaines du théâtre, de la poésie et de la chanson, exprime le nouveau dynamisme du milieu, que l'on pense au groupe CANO, à la poésie de Patrice Desbiens et de Jean Marc Dalpé, ou à la mise sur pied de Théâtre Action[26]. Se constituent également, au même moment, des regroupements de jeunes, dont Direction-Jeunesse. Dans les villes où l'on trouve des concentrations importantes de francophones comme à Ottawa et à Sudbury, l'on assiste à la mise sur pied de comités de citoyens dont l'objectif principal est de revendiquer une amélioration des conditions de vie des francophones sur les plans local et municipal[27]. Du côté des organisations de l'élite franco-ontarienne, l'ACFO revendique le bilinguisme officiel[28]. Les groupes de femmes se redéfinissent en profondeur et embrassent le féminisme[29].

De 1986 à 1991, le milieu franco-ontarien accueille de plus en plus d'immigrants, environ 6 650[30]. Ces derniers exigent une dissociation plus grande entre la langue et la culture. Ainsi, ils se trouvent à remettre en cause l'identité franco-ontarienne qui se définit, traditionnellement, par les références aux luttes de ses membres, dans le domaine de l'éducation, et au débat constitutionnel. Pour leur part, les nouveaux arrivants sont davantage préoccupés par des questions de reconnaissance des acquis et des diplômes, des problèmes de racisme et de discrimination, que par la question de l'assimilation des francophones. Leur identité, sur le plan linguistique, n'est pas menacée comme celle des francophones de souche. En partie pour ces raisons, les rapports entre les nouveaux arrivants et les leaders des groupes déjà établis ne s'établissent pas sans heurt. La mise en place de réseaux constitués principalement par les francophones nouvellement arrivés en Ontario vise souvent à compenser leur exclusion des réseaux de pouvoir détenus par l'élite franco-ontarienne.

POURQUOI S'INTÉRESSER AUX FRANCOPHONES DE L'ONTARIO ?

Les vicissitudes de l'histoire ont fait que celle des francophones de l'Ontario a toujours été entremêlée à celle du Canada. Depuis la Conquête de 1759, et ce malgré la diversification des préoccupations du milieu minoritaire francophone, le statut de ce dernier a toujours été et demeure un enjeu politique au pays. Au XVIIIe siècle, de petites communautés canadiennes-françaises sont déjà installées en Ontario, dans le sud de la province ; en 1763 elles ne sont pas chassées de la région par les autorités britanniques. De 1774 à 1791, les Canadiens français sont placés sous l'autorité de l'Acte de Québec alors qu'en 1791, au moment de la création du Haut et du Bas-Canada, ils passent sous l'administration du Haut-Canada. En 1867, les francophones de l'Ontario ne sont pas l'objet de mesures spéciales dans le cadre de l'adoption de l'Acte de l'Amérique du Nord britannique, bien qu'ils reçoivent une certaine reconnaissance sur le plan constitutionnel en raison de l'adoption des articles 93 et 133 de la Constitution canadienne[31]. L'article 133 statue que le français et l'anglais sont les langues du Parlement canadien et de l'Assemblée législative du Québec, ainsi que des tribunaux fédéraux et québécois. L'article 93 reconnaît aux catholiques de l'Ontario et aux protestants du Québec le droit à des commissions scolaires séparées.

Par ailleurs, à la même époque, l'avènement d'un mouvement orangiste et nationaliste prônant la suprématie de la culture anglo-saxonne en Ontario marquera le début d'une période difficile pour les francophones de la province. Le gouvernement ontarien cherchera à limiter l'enseignement du français en Ontario. Il adoptera une série de mesures qu'il complétera en 1912, avec le Règlement XVII qui restreint l'enseignement en français dans les écoles publiques de la province à une heure par jour. Ce dernier n'est révoqué qu'en 1944.

Toutefois, dans les années soixante, s'amorce une période d'ouverture aux préoccupations des francophones de l'Ontario. En 1971, en écho à la Commission royale d'enquête sur le bilinguisme et le biculturalisme au Canada, la province se donne une politique, en matière de bilinguisme, accordant des services en français « là où le nombre le justifie et là où c'est pratique ». En 1986, le gouvernement ontarien adopte sa *Loi sur les services en français* ainsi qu'une législation sur l'équité en matière d'emploi qui fait des francophones un groupe cible en vue d'augmenter leur nombre au sein de la fonction publique ontarienne.

Au palier fédéral, à l'époque des années soixante, le gouvernement souhaite que la province de l'Ontario proclame l'égalité officielle du français et de l'anglais, ce qu'elle refusera toujours de faire. Pour sa part, en 1968, le gouvernement fédéral adopte sa *Loi sur les langues officielles*. En 1982, il érige en statut de droit constitutionnel le droit des francophones et des anglophones à recevoir des services fédéraux en anglais ou en français partout au Canada, grâce aux articles 16 à 20 de la *Charte canadienne des droits et libertés*. L'article 23 de la *Charte* stipule que les minorités de langues officielles au Canada, soit les francophones hors Québec et les anglophones du Québec, bénéficient dorénavant du droit constitutionnel à une éducation dans leur langue maternelle, « là où le nombre le justifie ». En 1988, le gouvernement fédéral adopte une nouvelle *Loi sur les langues officielles* qui accorde enfin le droit aux fonctionnaires fédéraux de travailler dans la langue de leur choix au sein de la fonction publique fédérale. Il ajoute aussi une nouvelle partie à la législation sur les langues officielles, la partie VII, qui érige le gouvernement fédéral en principal fiduciaire des minorités de langues officielles au Canada. Ainsi, le gouvernement fédéral devient responsable de voir au développement et à l'épanouissement des minorités de langues officielles au Canada, soit les francophones de l'extérieur du Québec et les anglophones du Québec. Le phénomène est passé inaperçu, sauf qu'il sert à réaffirmer la stratégie fédérale en matière d'unité nationale. La partie VII de la législation oblige le gouvernement fédéral à investir au sein des milieux francophones et anglophones minoritaires en vue de voir à leur épanouissement et à leur développement. Ce droit, les minorités de langues officielles en sont jalouses ou fières, car il les lie au gouvernement fédéral, leur protecteur[32].

Ces quelques bribes d'histoire des politiques linguistiques fédérale et ontarienne tendent à montrer que le statut juridique et politique des francophones de l'Ontario n'a jamais cessé d'être un enjeu pour les gouvernements fédéral et provincial depuis les débuts de la Confédération canadienne. L'intervention gouvernementale à l'intention des minorités linguistiques est importante. De surcroît, l'histoire de la minorité francophone de l'Ontario, c'est un peu celle du Canada, à une plus petite échelle.

La recherche sur les francophones de l'Ontario

Au Canada, la question du statut des minorités linguistiques a donné lieu à une petite industrie de la recherche dans le domaine du droit constitutionnel en particulier, mais également en sciences sociales et humaines. Il existe des commentateurs et des spécialistes de la francophonie ontarienne dans presque tous les domaines[33], tout comme il existe des experts de l'Acadie et des autres milieux francophones minoritaires situés dans l'ouest du Canada. Influencées par la sociologie des mouvements sociaux, l'histoire et la sociolinguistique, les analyses sur le sujet portent beaucoup sur les problèmes d'assimilation des francophones, leur identité, et sur la capacité du groupe à s'organiser en vue de se doter d'institutions qui témoigneront de sa vitalité. Toutefois, jusqu'à présent, peu d'études ont porté sur la question de la vitalité politique du milieu francophone[34].

Un rapide tour de la question révèle que les historiens ont surtout travaillé à mieux situer les francophones de l'Ontario dans l'histoire du Canada et de leur province, en particulier depuis la première présence française dans le sud de la province, aux XVIIe et XVIIIe siècles, cette dernière étant peu connue des francophones eux-mêmes. À titre d'exemple, Gaétan Gervais baptise Étienne Brûlé l'ancêtre des Franco-Ontariens, parce qu'il a été un coureur des bois dont le territoire s'étendait jusque dans la région de Windsor[35]. Il a aussi montré que c'est en Ontario que naissent les premiers villages métis au Canada, le roi de France ayant autorisé les militaires à se marier avec des femmes autochtones. Persécutées, toutefois, ces nouvelles familles s'installent dans le nord-ouest de l'Ontario vers Sault-Sainte-Marie. Elles prennent ensuite la route du Manitoba qui devient, au XIXe siècle, le territoire de la nation métisse. À retenir également que la première école de langue française en Ontario a été fondée au sud de la province, à L'Assomption, par deux religieuses venues du Québec.

Gervais a étudié l'histoire de l'identité canadienne-française en Ontario. Marcel Martel et Pierre Savard ont jeté les bases d'une histoire des rapports entre les Franco-Ontariens et les Québécois depuis le XIXe siècle, notamment en vue d'examiner l'importance du réseau associatif canadien-français, depuis ses débuts jusqu'à son effritement vers les années soixante, dans le développement du milieu francophone. Chad Gaffield a cherché à préciser les origines de l'identité franco-ontarienne, qu'il retrace au moment des luttes scolaires entre les francophones de l'Est ontarien et le gouvernement de la province.

En sociologie, les études ont aussi porté en grande partie sur le thème de l'identité. La sociologie en milieu francophone ontarien a tenté de donner sens à l'identité du groupe ainsi qu'à son devenir ou à sa vitalité sur le plan communautaire[36]. S'appuyant sur la théorie de la mobilisation des ressources, Raymond Breton a montré que les communautés ethniques ou minoritaires sont des communautés politiques, engagées dans des activités de mobilisation de ressources en vue de maintenir l'allégeance de leurs membres au groupe[37]. Selon Breton, plus le milieu francophone se dotera de ressources permettant d'offrir une vaste gamme de choix à ses membres, plus ces derniers seront ensuite en mesure de maintenir leur allégeance à leur communauté d'origine. Ainsi, les groupes qui se donneront des réseaux d'institutions le plus complets possible auront le plus de chances de se reproduire et de garder leurs membres à l'intérieur de leurs frontières. Breton considère, notamment, que la création d'un espace de développement économique au sein du milieu francophone devrait montrer qu'il y a un avantage économique à participer à la survie du groupe.

Ceux qui étudient l'évolution démographique des francophones sont cependant plus pessimistes, étant constamment en présence de cas d'assimilation des francophones à l'anglais[38]. Selon ces spécialistes, un taux d'assimilation de plus de 40 % au sein d'un groupe ne lui permet plus de former une culture d'appartenance viable. À cet effet, l'on peut dire qu'une bonne partie du milieu minoritaire ne peut plus prétendre former une culture francophone viable à l'extérieur du Québec. À l'exception de l'Ontario et du Nouveau-Brunswick, les transferts linguistiques y sont de 50 % à 70 % dans la plupart des cas. Ces cultures d'appartenance sont donc maintenues artificiellement en vie par le gouvernement fédéral. Or, plus ou moins à l'aise avec ces données, récemment, les sociolinguistes ont choisi de privilégier l'analyse qualitative aux travaux de nature plus statistique, en vue de nuancer les propos des démographes sur la vitalité du français en milieu minoritaire. Ainsi, ils cherchent à élargir le débat afin de mieux rendre compte des réalités ambiantes des communautés[39].

Enfin, malgré les débats et les désaccords entre les commentateurs, dans un bilan fort intelligent de l'état de la recherche sur la francophonie ontarienne, Françoise Boudreault considère que tous, au préalable, partagent une préoccupation idéologique et politique quant à la survie du français en Ontario, son épanouissement et son développement[40]. Sauf exception, les commentateurs de la situation des francophones de l'Ontario sont motivés par un souci de montrer que malgré ses problèmes d'assimilation, bien réels par ailleurs, le groupe forme une communauté dynamique qui lutte pour sa survie et est toujours en quête d'une certaine autonomie sur les plans culturel, social, économique et politique[41]. De plus, les chercheurs militent souvent au sein du milieu francophone afin de revendiquer des services en français, un parti pris qui rappelle l'engagement des chercheuses féministes à l'égard du mouvement des femmes. Par ailleurs, Fernand Ouellet a critiqué ce parti pris idéologique des chercheurs sur la francophonie ontarienne, qu'il associe davantage à une sorte d'avatar du nationalisme canadien-français et québécois qu'à une réelle préoccupation liée à la compréhension du milieu francophone[42]. En simplifiant, chez Ouellet, depuis le XIXe siècle, la question de la survie du français en Ontario n'intéresserait que l'élite francophone d'Ottawa venue du Québec[43]. Ce dernier considère que les francophones de l'Ontario, notamment ceux vivant dans le sud de la province, n'ont pas, historiquement, de préoccupations fondamentales propres à la survie de la langue française. Leurs inquiétudes sont plutôt de nature économique. De fait, Ouellet a raison de critiquer le biais des chercheurs de la francophonie ontarienne. Celui-ci teinte peut-être trop leurs analyses et peut donner lieu à une confusion des discours entre les chercheurs et les acteurs.

Les chercheurs laissent souvent entendre que les minorités francophones hors Québec sont les principales responsables de leur développement. Or, une telle observation n'a pas encore fait l'objet d'une analyse approfondie. Il est beaucoup question de la vitalité communautaire du groupe minoritaire à laquelle on associe son dynamisme. Toutefois, un tel indicateur ne peut à lui seul faire l'économie de la vitalité politique du milieu. La référence au dynamisme du groupe minoritaire est nettement insuffisante pour comprendre la question des conditions sous lesquelles celui-ci peut participer à son développement.

Toutefois, malgré les réserves de Ouellet et les nôtres, la langue est incontestablement un enjeu en Ontario, tant sur les plans juridique et politique que socio-économique. Il y a donc lieu de tenter d'éclairer davantage l'action des francophones dans ces domaines et de chercher à comprendre de façon plus générale la question des conditions sous lesquelles ils ont, historiquement, participé au rayonnement du français en Ontario.

Méthodologie

S'il y a lieu de s'intéresser aux francophones de l'Ontario, quelle doit être la démarche à suivre afin d'éviter la confusion des discours entre les chercheurs et les acteurs ? Comment les sciences sociales peuvent-elles rendre compte de l'action des acteurs et déterminer si les réalisations dont se réclame le groupe sont bien de son ressort ?

Dans un recueil d'articles récents et importants sur les mouvements sociaux, *Why Social Movements Matter*[44], Marco Guigni, Edwin Amenta et Michael P. Young ont formulé des prescriptions théoriques et méthodologiques sur lesquelles nous avons, en partie, fondé notre démarche. M. Guigni a proposé qu'au lieu de tenir pour acquis le dynamisme des groupes, nous devions préciser davantage les conditions particulières qui leur permettent d'influencer le changement[45]. Pour M. Guigni, ces conditions seraient de nature politique. Elles renvoient au contexte politique ou à la structure des « opportunités politiques[46] », ainsi qu'au processus politique.

De la même façon, E. Amenta et M.P. Young[47] considèrent que le chercheur doit pouvoir montrer que les bénéfices destinés aux membres d'un groupe n'auraient pu être octroyés sans l'action de ses leaders. Ils ont formulé trois hypothèses à cet effet : l'action collective du groupe a été suffisante pour provoquer un impact sur la dynamique du changement ; certaines formes de mobilisation ont été plus efficaces que d'autres ; une combinaison de formes de mobilisation et de conditions politiques particulières a rendu possible le changement. En d'autres mots, nonobstant tous les problèmes posés par la question des passagers clandestins de Mancur Olson (les *free riders*), E. Amenta et M.P. Young proposent un critère de biens collectifs[48] afin d'évaluer l'action des groupes plutôt qu'un critère de succès ou d'échec. À titre d'exemple, il se peut qu'un groupe pense avoir échoué à faire adopter une politique tout en ayant réussi à obtenir des bénéfices importants pour ses membres et ce, de façon continue[49].

Reprenant à son compte les considérations d'E. Amenta et de M.P. Young, M. Guigni a conçu cinq étapes permettant de déterminer l'influence d'un groupe ou d'un mouvement sur le changement social. Dans un premier temps, il propose d'étudier un large éventail d'acteurs : élus, partis politiques, groupes d'intérêt public, médias et contre-mouvements ; pas uniquement les organisations du milieu concerné. Ainsi, plus le nombre d'acteurs est important, plus il permettra de déterminer si les bénéfices accordés au groupe sont bien de son ressort. Dans un deuxième temps, M. Guigni considère qu'il faut étudier la structure des « opportunités politiques » favorables dans un milieu donné, c'est-à-dire « l'état d'une structure de jeu dans laquelle se développe un mouvement social[50] ». Celle-ci servira à déterminer la réceptivité du milieu politique aux revendications des groupes et à identifier des acteurs clés servant parfois de relais stratégiques pour le groupe. En simplifiant, l'étude de la structure des « opportunités politiques » permet de montrer que des contextes politiques peuvent augmenter ou minorer les chances de succès des mouvements sociaux. Combinée avec l'analyse historique et institutionnelle ou avec la sociologie historique, l'étude de la structure des possibilités politiques sert aussi à faire apparaître l'héritage des politiques du passé et des institutions étatiques déjà existantes. Cette approche revient notamment à Theda Skocpol, dont les travaux ont été très utiles à la compréhension des « jeux d'influence réciproque entre mouvements sociaux, systèmes politiques et politiques publiques », expliquant notamment la naissance des politiques américaines[51]. Dans un troisième temps, M. Guigni considère qu'il est utile de procéder à des comparaisons avec d'autres mouvements intervenant dans des contextes semblables. Dans un quatrième temps, il recommande d'étudier le processus par lequel l'influence des groupes a été possible. Il propose d'analyser de façon dynamique les liens entre un mouvement déterminé et l'impact dont il se réclame. M. Guigni cherche à identifier les mécanismes par lesquels les acteurs ont pu effectuer un changement. Dans un cinquième temps, il recommande d'étudier des situations où les mouvements n'ont aucune influence sur le changement.

Les cinq conditions que propose M. Guigni doivent également servir à évaluer la durabilité du changement. Selon lui, un changement à court terme serait plus facile à réaliser qu'un changement durable. Ainsi, il cherche à déterminer si les changements contribuent ou non au développement de la démocratie[52].

Nous avons ajouté une sixième étape à l'approche de M. Guigni : l'étude de la dimension subjective de l'action ou le sens que les acteurs donnent à leurs actions en regard du contexte politique dans lequel ils interviennent. Il se peut que Guigni tienne pour acquise la question de la subjectivité des acteurs, question qui nous est apparue importante. Miriam Smith a montré, dans un récent ouvrage sur les droits des gais et lesbiennes au Canada, que les perceptions de la structure des « opportunités politiques » sont déterminantes sur le plan politique[53]. L'impact d'un groupe est aussi tributaire de sa perception de la situation et non uniquement de conditions objectives particulières. En d'autres mots, non seulement doit-on pouvoir étudier l'ouverture de la structure des « opportunités politiques » aux acteurs, mais également la perception que ces derniers ont de la situation.

Les données

Les données traitées dans cet ouvrage ont été recueillies principalement lors de la recherche initiale effectuée par La Table. Elles comprennent les entretiens réalisés avec des francophones et anglophones travaillant dans le domaine des services en français, dont des élus, des coordonnateurs de services en français, des fonctionnaires, des directeurs généraux de services, des employés, des utilisatrices francophones de services de santé et de services sociaux, des membres de conseil d'administration et des groupes de femmes. Les personnes qui travaillent directement dans les services — les directeurs généraux de services, employés et membres de conseil d'administration — œuvrent toutes dans le milieu communautaire. Nous n'avons pas rencontré de responsables d'hôpitaux ou de services d'aide à l'enfance. Dans le premier cas, la procédure d'accès au milieu hospitalier était trop longue. Dans le deuxième, nous avons choisi de ne pas rencontrer des personnes affectées à des services imposés par la loi. Les acteurs que nous avons rencontrés interviennent dans des services vers lesquels les personnes peuvent se diriger sur une base volontaire. Ces services ne sont pas créés par le gouvernement sur une base obligatoire, mais bien parce que des acteurs se sont mobilisés en vue de faciliter leur mise en œuvre. En tout, nous avons rencontré 159 personnes. Ces dernières venaient de différentes régions de l'Ontario : Cornwall, Ottawa, Timmins et Toronto, quatre villes qui font partie des régions désignées par le gouvernement ontarien en vue d'offrir des services en français en vertu de la *Loi sur les services en français*. Cornwall et Timmins sont représentatives des régions éloignées des grands centres, où les francophones constituent de 20 % à 40 % de la population. Ottawa et Toronto font preuve d'un dynamisme multiculturel francophone unique en Ontario. De plus, Ottawa est un centre important de convergence des francophones de l'ensemble de la province en raison de la fonction publique fédérale, qui constitue une source d'emplois non négligeable pour eux.

Nous n'avons pas été en contact avec des journalistes, tel que le suggère M. Guigni, ni des membres directement engagés dans la lutte contre les services en français, même si parfois certaines personnes que nous avons rencontrées auraient pu donner cette impression. Cependant, nous avons rencontré des utilisatrices de services de santé et de services sociaux, étant donné l'intérêt de La Table pour la question de l'engagement des femmes au développement des services en français. Nous avons choisi d'inclure leurs perceptions des services de santé et services sociaux en français dans notre analyse, car nous avions le souci d'une étude qui ferait également écho aux préoccupations des femmes francophones. Elles sont des actrices de la santé et des services sociaux dans leur famille. Elles sont des travailleuses domestiques de la santé ou des médiatrices entre leur famille et le système des soins. D'où l'importance de comprendre leur point de vue[54]. Le tableau 2 donne un aperçu de la répartition statistique des acteurs rencontrés dans le cadre de notre étude.

Tableau 2 : Les acteurs

ACTEURS	NOMBRE
Femmes	24
Élues, élus et ex-élues, ex-élus	6
Directrice générale ou directeur général ou ex-D.G..	14
Conseil d'administration ou membre d'un C.A.	10
Fonctionnaires ou ex-fonctionnaires	9
Employées, employés rencontrés en groupe	48
Groupes de femmes	48
TOTAL	159

M. Guigni ne donne pas le pourcentage d'acteurs nécessaire afin d'avoir un échantillon valable. Il dit uniquement que l'éventail doit être large. Le nôtre comprend 48 personnes appartenant à un groupe féminin ou féministe, soit 24 % de notre échantillon, et 111 personnes associées de près ou de loin au développement des services communautaires en français, en particulier dans les domaines de la santé et des services sociaux, soit 76 %.

Lors de la recherche initiale, nous avons procédé à des entretiens semi-dirigés à partir d'un questionnaire préparé par l'équipe de recherche et approuvé par le Comité de déontologie de la Faculté des sciences sociales de l'Université d'Ottawa. Les entretiens ont été enregistrés et retranscrits, ce qui a donné lieu à plus de trois mille pages de textes à analyser, en plus du travail documentaire que nous avons effectué afin de nous permettre de préciser le contenu de la législation et de proposer un portrait de la province de l'Ontario, du milieu francophone, des groupes et des politiques gouvernementales à l'intention des francophones. Les données ont été traitées par les membres de l'équipe. Nous avons repris les questionnaires et identifié des catégories d'analyse, en fonction desquelles nous avons répertorié les propos des acteurs. Nous avons constitué des cahiers de recherche dans lesquels nous retrouvions leurs propos en fonction d'un ensemble important de catégories. Certains acteurs ont mis l'accent sur des aspects de la législation plus que d'autres, ce qui nous a permis de faire des regroupements de réponses. Toutefois, nous n'avons pas intégré les réponses dans nos statistiques, ni souligné – autant que faire se peut — si elles venaient d'un acteur en particulier. Les nombres étant trop petits, l'identité des répondants et des répondantes aurait été trop facile à déterminer. L'Ontario francophone est un petit monde et nous avons garanti le respect de la confidentialité aux répondantes et répondants. Nous avons également mis ensemble les données existantes sur le contexte politique canadien et ontarien depuis les années soixante, ainsi que les renseignements disponibles sur le milieu francophone de l'Ontario, souvent éparpillés un peu partout dans des documents gouvernementaux, rapports de recherche et synthèses historiques.

Chapitre 2
Les débuts d'une politique d'ouverture à l'égard des francophones de l'Ontario

LE CANADA ET L'ONTARIO DEPUIS LES ANNÉES SOIXANTE

IL EST impossible de présenter l'Ontario depuis les années soixante sans tenir compte du contexte idéologique, politique et institutionnel du Canada de l'époque. Ce dernier est caractérisé par l'institutionnalisation d'un cadre de perceptions, un *master frame* pour reprendre l'expression de David Snow et de Robert Benford[55], défini notamment par la référence à des droits. Ce dernier s'est constitué dès les années trente, dans le passage de l'État libéral minimal à l'État providence. Ce processus, qui s'est déroulé tant au Canada que dans l'ensemble des sociétés capitalistes, a rendu possible l'institutionnalisation d'une nouvelle représentation des rapports sociaux et de la relation de l'individu à la société dorénavant fondée sur le droit social[56]. Ainsi, depuis l'époque des années trente, la société canadienne a été témoin du déplacement des représentations minimalistes des rapports sociaux vers une nouvelle compréhension du risque, du droit social et de l'égalité des chances. Selon Jacques Beauchemin *et al.*, en 1943, la parution du rapport Marsh sur la sécurité sociale sous l'administration de Mackenzie King a constitué le moment fondateur de cette nouvelle conception des rapports sociaux. Celui-ci reconnaît le droit à l'aide sociale et recommande une plus grande prise en charge des individus par l'État et l'octroi de subventions à des institutions de santé et de charité. Toutefois, à l'époque, les libéraux fédéraux sont réticents à embrasser sans ambages le nouveau cadre de représentation. Ils craignent que la réforme de l'État libéral classique ouvre la porte au communisme. La charité n'est-elle pas habituellement associée au privé, alors que le rapport Marsh stipule qu'il n'est plus possible de rendre l'individu responsable de son sort dans une société posée comme débitrice[57] ? Elle doit assumer une partie du risque, car elle est aussi responsable des difficultés dans lesquelles se trouvent les individus, dû à son organisation. Ainsi, la nouvelle société pose l'exigence d'une solidarité à l'égard de ses membres, qu'elle traduit dans le nouveau vocabulaire du droit au soutien et de l'égalité des chances. Dit autrement, la régulation sociale, dans le contexte de l'État providence, devient universaliste et fait appel à l'intervention étatique dans les domaines de l'économie, de la santé et des services sociaux. Ainsi, l'on assiste à l'avènement d'une conception du droit social étendue à l'ensemble des citoyennes et citoyens.

Le développement de l'État providence, comme l'ont également montré Jane Jenson et Susan D. Phillips, se réalise dans un cadre national[58]. La nation constitue le lieu du projet de société et de la mise en œuvre du nouveau régime de citoyenneté fondé sur la référence au droit social. Au Canada, l'État central se présente dès lors comme l'unique lieu d'identification à la nation, les gouvernements des provinces étant dorénavant perçus comme réfractaires au développement de la citoyenneté. Ainsi, le gouvernement fédéral devient le maître d'œuvre de la nouvelle démocratie sociale canadienne, ce qui ne se fera pas sans heurt avec les provinces[59]. Au Québec, les rapports sont houleux entre le gouvernement fédéral et celui de l'Union nationale sous la direction de Maurice Duplessis. Ce dernier rejette l'État providence même si, paradoxalement, il en pose les jalons, comme l'ont montré Gilles Bourque, Jacques Duchastel et Jacques Beauchemin dans leur remarquable ouvrage, *La société libérale duplessiste*[60]. En effet, pendant les années soixante, le gouvernement du Québec rénove en profondeur son infrastructure institutionnelle afin de donner une plus grande portée au projet d'une démocratie sociale dans un cadre national québécois plutôt que canadien. De surcroît, en 1976, l'arrivée au pouvoir du Parti québécois donne lieu à un approfondissement encore plus important de l'idéal social-démocrate, que l'on conjugue également avec celui de faire du Québec une nation indépendante[61]. Dans l'ouest du pays, les perturbations dans les relations interprovinciales génèrent aussi, mais à droite, un mouvement de contestation de l'emprise du gouvernement fédéral sur les questions sociales et économiques du pays. À la différence du Québec, le sentiment d'aliénation qui en découle donne lieu à un rejet de la logique sociale-démocrate, à l'exception de la Saskatchewan, et à l'avènement, en Alberta et en Colombie-Britannique, de nouveaux regroupements politiques et idéologiques dont le Fraser Institute, fondé à Vancouver pendant les années soixante-dix, et le Reform Party (devenu l'Alliance canadienne en l'an 2000).

La province de l'Ontario, plus influente que les autres, décide plutôt de s'adapter au nouveau cadre fédéral et d'en tirer le meilleur parti possible quant aux intérêts de sa population. Les provinces de l'Atlantique se rallient également à la nouvelle logique fédérale, notamment parce qu'elles pourront en tirer les ressources financières dont elles ont tellement besoin pour survivre, entre autres grâce à la péréquation[62].

Les mouvements sociaux

À l'époque, l'ouverture des gouvernements aux revendications des groupes ou des mouvements sociaux rompt aussi avec le jeu politique du passé[63]. En effet, pendant les années soixante et soixante-dix, les mouvements sociaux commencent à occuper le devant de la scène et cherchent à influencer l'orientation du nouveau cadre dominant de perceptions, le *master frame* — en plus des mouvements ouvrier et nationaliste canadiens, nous pensons également aux mouvements des femmes et des étudiants, au néonationalisme au Québec, aux revendications des autochtones, des écologistes et des minorités franco-ontariennes et acadienne. Ainsi, l'on peut parler d'une certaine convergence entre les revendications des groupes et la représentation de la justice ou des droits sociaux promue par le gouvernement fédéral à l'intérieur du nouveau cadre de représentation de la citoyenneté. Comme le souligne Theda Skocpol, les politiques publiques sont le résultat des « jeux d'influence réciproque entre mouvements sociaux, systèmes politiques et politiques publiques[64] ». Toutefois, les mouvements sociaux souvent visent la transformation radicale du cadre de perceptions politiques, le jugeant non conforme à l'idéal de libération ou d'émancipation auquel ils aspirent. Au Québec comme au Canada anglais, les mouvements sociaux exigent des changements radicaux dans tous les domaines. Selon J. Jenson et S.D. Phillips, ils opposent à la représentation plus classique de la citoyenneté, fondée sur une certaine conception de la loyauté, du nationalisme ou de l'anti-américanisme et les besoins des travailleurs, un discours radical portant sur l'exigence d'une plus grande participation des groupes à la vie démocratique et sur la reconnaissance de droits individuels et collectifs « pancanadiens » dans tous les domaines de la vie sociale dont la santé, les services sociaux, l'éducation et la culture[65]. Ils associent la citoyenneté à des questions d'identité et de reconnaissance des peuples et des groupes, prolongeant ainsi la logique émancipatrice des droits sociaux dans le domaine des relations ethniques et des rapports entre les groupes et les nations. Ainsi, selon J. Jenson et S.D. Phillips, l'adoption, en 1982, de la *Charte canadienne des droits et libertés* constitue l'aboutissement de ce mouvement pancanadien qui a réussi à s'imposer dans le débat public. La *Charte* reconnaît l'égalité entre les hommes et les femmes, entre le français et l'anglais, entre les différentes cultures au Canada, ainsi que le droit des peuples autochtones à l'autodétermination. Cependant, force est de constater que le nouveau régime de citoyenneté n'a pas été reconnu formellement par le gouvernement du Québec, qui ne peut ni ne veut adhérer à la *Charte*. Il interprète cette dernière comme un document illégitime au Québec, du fait qu'il a été adopté sans son consentement et sans aucun souci d'y reconnaître la place du Québec comme nation au sein du Canada[66]. Ce qui montre bien, d'une part, que le jeu réciproque entre les mouvements sociaux et les systèmes politiques n'est jamais acquis, et que, d'autre part, la satisfaction des revendications des groupes ne dépend pas que de leur militantisme[67].

Malgré l'ouverture de la structure des « opportunités politiques », le milieu politique choisit de donner la forme qu'il juge la plus acceptable aux revendications des groupes. Pour l'élite politique à Ottawa, à l'époque, il n'est pas raisonnable de donner satisfaction aux revendications des nationalistes du Québec, puisqu'elles sont véhiculées par des militants politiques considérés comme une menace à l'intégrité et à la stabilité du pays[68]. Toutefois, malgré les clivages Québec-Canada, il faut bien reconnaître que les années soixante marquent l'avènement d'une ouverture importante aux revendications des groupes sociaux au sein de l'espace public canadien.

UN PORTRAIT DE L'ONTARIO[69]

La notion de structure des « opportunités politiques », nous l'avons vu plus haut, sert à étudier le contexte politique. Elle est caractérisée par une combinaison de facteurs, en commençant par la réceptivité du milieu politique aux revendications des groupes, le degré de stabilité des alliances politiques, l'existence de forces relais à des positions stratégiques, le jeu des élites et les possibilités de divisions entre elles[70].

À quoi ressemble la province de l'Ontario pendant les années soixante et soixante-dix ? Le gouvernement ontarien participe activement à l'ouverture de la structure des « opportunités politiques » à l'égard des groupes, notamment à l'égard des francophones de la province. Au Québec, l'on aime bien parler des années soixante comme de l'expression d'une Révolution tranquille. Or, cette dernière doit être comprise davantage comme un mouvement de redéfinition des rapports entre l'État et la société civile plutôt que comme la sortie d'une Grande Noirceur, car le mouvement semble bien avoir eu lieu au même moment dans toutes les provinces, dont l'Ontario. Selon Jean-François Cardin et Claude Couture, « [s]i on la [province de l'Ontario] perçoit souvent comme conservatrice et attachée à la tradition, on oublie le pragmatisme qui la caractérise et sa capacité d'opérer des réformes à petites doses, sans que cela ne déborde en de déchirants débats de société[71] ». Ainsi, à la différence du Québec, l'Ontario ne vit pas le changement social comme une rupture symbolique avec un ordre « ancien », mais davantage comme un phénomène d'adaptation graduel sans bouleversement de l'état normal des choses. Il se pourrait bien que de cette tradition vienne l'absence de référence à une révolution tranquille pour décrire les changements en cours en Ontario. Toutefois, nous verrons qu'à l'époque, les changements provoqués par la mise en place de l'État providence y sont tout aussi importants qu'au Québec.

En simplifiant, dès 1943, George Drew jette les bases d'une réforme en vue de faire de la province une société davantage prospère et équitable. Il cherche à créer des conditions favorables à l'avènement de l'État providence en Ontario. Pour J.-F. Cardin et C. Couture, G. Drew veut surtout saper la popularité du Cooperative Commonwealth Federation (CCF) à l'époque. Ainsi, il se fait pragmatique et accepte, en pratique, l'importance de la planification ainsi que l'intervention accrue de l'État dans la société. Toutefois, G. Drew tient un discours anti-interventionniste, ce que fait également son successeur, William Davis, pendant les années soixante-dix et quatre-vingt, et ce, sans réduire le rôle de l'État au sein de la société ontarienne[72]. Drew propose un programme en vingt-deux points qui comprend des transformations dans tous les domaines : réforme de la taxe municipale, hausse de l'aide financière de la province dans le domaine de l'éducation, augmentation des allocations familiales et des pensions de vieillesse, promulgation de lois ouvrières ouvertes au syndicalisme, reconnaissance du principe de l'égalité des chances dans le domaine de l'éducation, mise en place d'un programme d'assurance-santé, adoption de mesures afin d'améliorer et de planifier la production agricole et les exploitations minières et forestières[73].

Or, J.-F. Cardin et C. Couture considèrent que l'intervention du gouvernement fédéral dans les champs de compétence provinciale va compromettre certaines des réformes implantées par les conservateurs. Dès les années cinquante, le gouvernement ontarien met sur pied des programmes dans les domaines de l'éducation, de la santé et de la sécurité sociale. Les données révèlent que, de 1940 à 1975, le nombre d'universités financées publiquement passe de trois à quinze[74]. De plus, en 1958, l'Ontario met sur pied un programme d'assurance-hospitalisation à coûts partagés avec le gouvernement fédéral. En 1966, il crée un régime d'assurance-maladie. Graduellement, la province est intégrée aux programmes fédéraux, dont le régime de pension et le régime d'assistance du Canada. Ainsi, G. Drew a rendu possible le passage de l'État libéral minimal à l'État providence dans sa province. Il a mis l'Ontario sur la voie de la modernisation.

Les données révèlent qu'« en 1945-1946 la part des dépenses gouvernementales représente 2,7 % du PNB de la province, elle atteint 16,7 % en 1972-1973[75] ». Quant à la population de la province, entre 1941 et 1971, elle passe de 3,7 millions à 7,7 millions. Elle atteint les 10 millions en 1991. Selon J.-F. Cardin et C. Couture, c'est pendant les années cinquante que l'augmentation de la population est la plus forte, en raison de l'immigration internationale vers l'Ontario et du *baby-boom.* À cette époque, l'Ontario a un taux de chômage très bas. De 1945 à 1975, celui-ci oscille entre 2,5 % et 3,5 %, ne dépassant jamais 6 %[76]. L'économie de la province repose sur l'industrie manufacturière. Avec Detroit aux États-Unis, la ville de Windsor devient la capitale canadienne de la construction automobile. De plus, en 1965, la signature du Pacte de l'automobile entre le Canada et les États-Unis permet de donner une plus grande stabilité à cette industrie. L'Ontario est aussi le centre de la production sidérurgique au pays. En plus de son industrie agricole prospère, la province est celle qui produit le plus de minerais. Enfin, la situation démographique de la province entraîne l'expansion du commerce au détail et la concentration de la haute finance à Toronto.

Toutefois, les données montrent que l'Ontario dépend de l'économie américaine. Des entreprises s'installant dans la province, 70 % sont d'origine américaine. L'Ontario est le deuxième partenaire commercial des États-Unis derrière l'ensemble du Canada et devant le Japon[77]. À l'époque du gouvernement Davis, le développement de l'emploi dans le secteur tertiaire passe de 48 % à 68 %[78].

En 1985, lorsque le Parti libéral prend le pouvoir, l'Ontario est la province la plus prospère au pays. Elle mise sur l'expansion des secteurs de pointe alors que sa base industrielle est en pleine transformation. À la différence de l'époque des conservateurs, la province veut aussi donner une image plus positive d'elle-même en raison de sa diversité culturelle et d'un nouveau progressisme qu'elle embrasse tout de go. Entre autres, les libéraux ontariens vont adhérer au principe de l'action positive et n'hésiteront pas à nommer des femmes, des francophones et des membres des minorités raciales au sein de la fonction publique. En 1990, l'arrivée du NPD au pouvoir contribue également à renforcer cette image de l'Ontario dorénavant ouvert au monde. Toutefois, le milieu des affaires ne voit pas le gouvernement des néo-démocrates d'un bon œil ; il est trop idéologique et insuffisamment pragmatique dans une province caractérisée par son traditionalisme. Les gens d'affaires vont s'en prendre à Bob Rae, le chef du nouveau gouvernement. Qui plus est, l'Ontario entre en récession économique. Les données révèlent qu'entre 1990 et 1991, la province perd 226 000 emplois, donc les trois quarts de tous les emplois perdus au Canada. Elle détient un taux de chômage plus élevé qu'ailleurs au pays et un million d'assistés sociaux sur une population de 10 millions[79]. Même si le premier ministre de l'Ontario modifie l'orientation de son gouvernement et pose des gestes en vue de remettre la province sur les rails de la prospérité économique, il perd les élections en 1995 au profit des conservateurs dirigés par Mike Harris. Ces derniers reviennent au pouvoir après dix ans d'absence. M. Harris reprend les promesses traditionnelles de son parti de limiter l'intervention étatique et de réduire les taxes et les impôts. Toutefois, après dix ans de progressisme, le programme conservateur de M. Harris semble plus radical. De fait, il rompt avec le pragmatisme de ses aînés, et promet une « révolution du bon sens ». De tous les premiers ministres conservateurs ontariens, il est sans doute le premier qui tentera de rompre une fois pour toutes avec l'interventionnisme étatique propre à la logique providentielle.

L'Ontario et la question constitutionnelle

En plus de sa présence plus active dans les programmes du gouvernement fédéral, pendant les années soixante, l'Ontario décide de jouer un rôle plus important sur le plan constitutionnel. Selon J.-F. Cardin et C. Couture, John P. Robarts, le premier ministre de la province à l'époque, prend « une part active dans la tourmente constitutionnelle des années 1960 en se faisant le vibrant défenseur d'un Canada basé sur un nouveau partenariat entre les deux peuples fondateurs[80] ». Toutefois, Donald Dennie rappelle qu'en 1966, Robarts refuse la proposition du Parti libéral du Québec selon laquelle l'Ontario et le Nouveau-Brunswick devraient se déclarer officiellement bilingues[81]. Seule, en 1968, la province du Nouveau-Brunswick adopte une législation sur les langues officielles. Pour leur part, les libéraux ontariens sont favorables à l'utilisation du français dans les écoles et les services gouvernementaux. Seul le NPD propose l'adoption du bilinguisme en Ontario[82].

En 1967, dans la foulée de la Commission royale d'enquête sur le bilinguisme et le biculturalisme (la Commission Laurendeau-Dunton), J. Robarts met sur pied un comité de la Confédération[83] et organise une conférence constitutionnelle à laquelle il invite tous les premiers ministres des provinces en excluant le gouvernement fédéral. J. Robarts veut trouver un moyen d'accommoder le Québec, à la différence du gouvernement fédéral qui, à l'époque, refuse d'aborder la question constitutionnelle. Déjà, le Québec exige une réforme du fédéralisme dans le sens d'un meilleur partage des pouvoirs entre le gouvernement fédéral et les provinces.

Lorsque Bill Davis accède au pouvoir, il se rapproche davantage des libéraux fédéraux que ses prédécesseurs. Selon J.-F. Cardin et C. Couture, il se démarque des velléités décentralisatrices du Québec et des provinces de l'Ouest[84]. Pendant les années soixante-dix, B. Davis annonce également sa politique à l'égard de la population francophone de l'Ontario. Il accepte le principe des services en français, « là où le nombre le justifie et là où c'est pratique[85] ». D'ailleurs, depuis l'époque de B. Davis, les premiers ministres ont tous privilégié cette approche. L'adoption, en 1986, par le gouvernement libéral de la *Loi sur les services en français* ne déroge pas à cette règle. Ainsi, cette Loi confère pratiquement un statut particulier aux francophones de la province sans que le gouvernement ait eu d'une part à rompre avec la logique des nombres et, d'autre part, à déclarer la province officiellement bilingue.

À compter des années quatre-vingt, comme le soulignent J.-F. Cardin et C. Couture, l'Ontario est au centre d'un autre débat important : l'établissement d'une entente de libre-échange avec les États-Unis. À l'époque, l'Ontario abrite une élite nationaliste qui dénonce avec acharnement l'emprise de la culture américaine sur la culture canadienne[86]. De plus, toujours aux prises avec un débat entre le Québec et le gouvernement fédéral qui ne fait que pourrir depuis l'adoption, en 1982, de la *Charte canadienne des droits et libertés* à laquelle le gouvernement du Québec refuse d'adhérer, l'Ontario, après bien des hésitations, donne son appui, en 1987, à l'Accord du lac Meech accordant un statut de société distincte au Québec. Ce projet, une initiative du gouvernement fédéral sous la direction de Brian Mulroney, chef du Parti progressiste-conservateur, vise à réconcilier le Québec avec le reste du Canada et à l'inviter à signer la *Loi constitutionnelle de 1982* dans l'honneur et la dignité. À l'exception de Paul Martin et de ses supporteurs, les libéraux fédéraux et les libéraux de Terre-Neuve, du Nouveau-Brunswick et du Manitoba dénoncent à cor et à cri l'Accord du Lac Meech alors que David Peterson, en Ontario, se fait un défenseur du statut de société distincte pour le Québec dans l'ensemble du pays. Conformément à la formule d'amendement de la Constitution, en 1990, l'Accord a été adopté à l'unanimité dans toutes les assemblées législatives, sauf à l'Assemblée législative du Manitoba, où Elija Harper comme simple député choisit de s'y opposer courageusement. L'Accord fut donc rejeté.

En 1992, les Canadiens s'opposent, à la suite d'un référendum pancanadien, à une nouvelle entente (l'entente de Charlottetown) visant à reconnaître officiellement, dans le cadre d'un préambule à la Constitution canadienne, le caractère distinct du Québec, mais également l'autonomie gouvernementale des peuples des Premières Nations, l'engagement des gouvernements fédéral et provinciaux au développement et à l'épanouissement des minorités de langues officielles et l'égalité entre les sexes. Seule la province de l'Ontario vota en faveur de cette entente constitutionnelle. Par la suite, le gouvernement de B. Rae se fera beaucoup moins conciliant à l'égard des revendications du Québec que celui de D. Peterson. Plus critique à l'endroit des souverainistes, il les avertit qu'il y aurait de la résistance de la part du Canada anglais dans l'éventualité d'une séparation du Québec. Déjà, s'annonce une nouvelle période de polarisation entre le Québec et le reste du Canada. En 1993, le gouvernement fédéral, dorénavant dirigé par les libéraux sous la direction de Jean Chrétien, décide de mettre fin au projet d'une entente constitutionnelle visant à répondre aux demandes des différents groupes au pays, du Québec et des peuples des Premières Nations en particulier. Le nouveau gouvernement choisit de se consacrer à réduire la dette et le déficit du pays et à relancer la création[87]. Il signe la fin de la politique de l'identité au Canada.

En 1995, lorsque Mike Harris prend le pouvoir, il décide aussi, à l'instar des libéraux fédéraux, de ne pas reprendre le flambeau de la politique constitutionnelle et de consacrer son temps à la relance de l'économie ontarienne et à la réduction des services publics. L'échec des premiers ministres ontariens en vue de fonder le Canada sur la base d'un partenariat entre deux peuples fondateurs ne l'incite pas à se proclamer le nouveau champion du débat sur l'unité canadienne. Lorsqu'en 1995 le gouvernement du Québec organise un référendum sur la souveraineté du Québec assortie d'un partenariat économique, ce n'est pas M. Harris qui se fait l'ardent défenseur de l'unité du pays, mais plutôt l'ex-premier ministre de l'Ontario, B. Rae. Par ailleurs, M. Harris est plus près idéologiquement des provinces de l'Ouest que des préoccupations du Québec. Il adhère facilement au principe de l'égalité des provinces alors qu'il reconnaît, du bout des lèvres, le caractère distinct du Québec. Il affirme sans gêne que la Colombie-Britannique a également un caractère distinct en raison de son saúmon rose du Pacifique, une déclaration faite en 1996 lorsque les premiers ministres des provinces, à l'exception du

Québec, se rencontrent à Calgary en vue d'adopter une entente visant à réaffirmer les grands principes de la Fédération canadienne. Toutefois, à la différence des premiers ministres des autres provinces canadiennes-anglaises, M. Harris ne participe pas, à l'hiver 1998, aux audiences de la Cour suprême du Canada à qui le gouvernement fédéral a confié la tâche de déterminer si le gouvernement québécois a le droit de déclarer la sécession unilatérale du Québec du reste du Canada. Il est également demeuré passablement silencieux, au mois de décembre 1999, dans le débat portant sur l'encadrement du processus référendaire au Québec par le gouvernement fédéral. Ce dernier a donné lieu à l'adoption de la *Loi C-20*, plus communément connue sous le nom de la *Loi « sur la clarté »*.

M. Harris s'abstient de participer aux débats constitutionnels, mais il se donne le crédit d'avoir réussi à créer un nouveau consensus au Canada sur l'urgence de baisser les impôts. De plus, en 1999, il réussit à faire réélire un gouvernement majoritaire à Queen's Park à Toronto, promettant de poursuivre la réduction de l'intervention étatique dans le domaine des programmes sociaux, des impôts et de la dette, en plus de se lancer dans une croisade en vue d'assainir les mœurs dans sa province. Harris ne rompt pas tout à fait avec la tradition conservatrice en Ontario depuis Drew. Toutefois, sur le plan social, il provoque une rupture importante au sein de la province. Nous avons vu que les gouvernements conservateurs précédents critiquaient la trop grande présence de l'État dans les affaires sociales, alors qu'en pratique ils n'ont cessé d'intervenir eux-mêmes dans ce domaine. Le développement de l'État providence donne lieu à des bouleversements institutionnels et idéologiques importants sur lesquels le discours politique antiétatique n'a pas encore d'emprise réelle. Or, depuis le début des années quatre-vingt-dix, tant les libéraux fédéraux que les conservateurs de l'Ontario choisissent de remettre en cause le principe de la redistribution de l'impôt. L'on assiste à des compressions au sein de nombreux programmes sociaux, dont l'assurance-chômage, l'éducation postsecondaire et l'aide sociale. Certes, expliquent J. Beauchemin *et al.*, les gouvernements ne laissent pas tomber le discours des droits au profit d'un retour à la charité[88]. L'on assiste plutôt à l'avènement d'une nouvelle représentation du risque qui prend le dessus sur le discours des droits. En dépit des protections sociales existantes comme l'assurance-chômage, le nouveau cadre de représentation subordonne la question des droits à l'idée que l'individu doit se prendre en charge et se prémunir contre les aléas de la société. Ainsi, les gouvernements vont l'inciter à se lancer en affaires ou à faire de la formation continue.

Dans la foulée, l'assurance-chômage devient l'assurance-emploi, l'individu étant dorénavant tenu responsable de ses difficultés. Dans la société du risque, l'individu doit prendre des assurances, car les gouvernements n'ont plus de temps à lui consacrer. J. Jenson et S.D. Phillips considèrent que cette approche marque la fin, au Canada, d'une vision organique de la société, et la victoire de l'individualisme sur la solidarité sociale[89]. D'autres considèrent plutôt qu'il s'agit de la fin de la dépendance des individus de l'État[90]. De plus, selon J. Beauchemin *et al.*, dans la société du risque le soutien n'est pas nié aux individus en difficulté. Il est plutôt encadré différemment par les gouvernements. Le soutien est dorénavant constitué de mesures visant à permettre à l'individu de réaliser son plein potentiel afin de pouvoir survivre dans un monde à risques élevés.

L'État appuie les initiatives dans le domaine de l'entrepreneuriat, le développement de la petite et de la moyenne entreprise et toutes autres mesures visant la réinsertion des individus sur le marché du travail. Sur le plan social et dans les services de santé, l'État encourage le bénévolat, la prise en charge des familles par les communautés et les soins à domicile. Le soutien demeure un droit et nécessite toujours une intervention dans le domaine public, aussi petit soit-il devenu. Toutefois, il n'est plus tenu pour acquis.

J. Beauchemin considère cependant que l'avènement d'une logique néo-providentielle donne lieu à l'éclatement de la référence identitaire nationale[91]. La mondialisation constitue le nouvel ordre dans lequel l'individu cherche à se projeter. La société n'est plus qu'un contexte plutôt qu'un lieu d'identification à un territoire et à un espace porteurs de valeurs collectives. Toutefois, il y a lieu de nuancer ce diagnostic. La mondialisation n'a pas empêché l'expression de nouvelles logiques identitaires. Selon Alain Dieckhoff, « de façon largement involontaire, la globalisation a contribué depuis le XIXe siècle à entretenir les logiques identitaires[92] ». Si les États sont affaiblis dans certains cas ou sont en voie de se restructurer dans la plupart des cas, la nation demeure un horizon indépassable pour bien des peuples.

Enfin, la société néo-providentielle ne consulte plus le citoyen, elle l'informe. Son lien avec l'État est de plus en plus ténu et fragile. La situation peut donner lieu à une plus grande privatisation de la vie publique ou au retrait de l'individu dans la sphère privée, mais elle peut aussi ouvrir la voie à une nouvelle politisation de la vie publique. Ainsi, les tenants d'une approche fondée sur le projet d'une nouvelle articulation des rapports entre les secteurs privé, public et para-public ainsi que les adeptes de l'économie sociale croient dans la possibilité d'un nouvel engagement de la part des acteurs au sein de la société de risques. Pour ces derniers, l'idée d'une gouvernance horizontale et distribuée pourrait même donner lieu à un approfondissement de la démocratie[93].

Le débat constitutionnel est dorénavant derrière nous. Les enjeux au sein de la société ont été principalement redéfinis en termes économiques et institutionnels. Toute demande de modification de la Constitution canadienne en vue d'une plus grande reconnaissance des groupes, notamment de la nature distincte du Québec, semble dorénavant impensable. La structure des « opportunités politiques » est de plus en plus fermée à toute politique formelle de reconnaissance.

LES SERVICES EN FRANÇAIS

Dans la foulée de la Commission Laurendeau-Dunton, l'Ontario redécouvre les francophones vivant sur son territoire et se sent dorénavant responsable devant eux. C'est à John Robarts que revient l'honneur d'avoir pris la pleine mesure de la situation pour l'avenir du pays. Ce dernier adhère à l'esprit de la Commission Laurendeau-Dunton, même s'il ne souscrit pas au projet d'un Ontario officiellement bilingue. Il opte plutôt pour une approche pragmatique, adoptant un ensemble de mesures afin de mieux servir la population francophone de sa province.

En 1965, il met sur pied un comité de coordination des services en français, l'*Advisory Committee on French Language Services*[94]. De plus, il permet l'utilisation du français à l'Assemblée législative de l'Ontario. En 1967, il annonce également la mise sur pied d'écoles secondaires publiques de langue française. Toutefois, les conseils scolaires refusent d'entériner la construction des écoles.

De 1971 à 1985, le gouvernement de Bill Davis adopte aussi un ensemble de mesures importantes en vue de garantir des services aux francophones de la province. Il n'est pas encore question d'un cadre législatif, car les conservateurs privilégient l'approche de la bonne entente ou de l'accommodement par élites à celle de la reconnaissance officielle de ses minorités[95]. Par contre, tous les domaines de la vie des francophones sont touchés par les mesures du gouvernement de B. Davis : les services publics, judiciaires, municipaux, etc.

LES SERVICES JUDICIAIRES[96]

Dans le domaine judiciaire, le gouvernement ontarien procède à trois réformes importantes. Au mois de juin 1976, il autorise la tenue de procès en français devant la Cour provinciale (Division du droit criminel), principalement dans le nord de la province[97]. Il s'agit d'un projet-pilote sous la direction du ministre de la Justice, Roy McMurtry. En 1977, le projet est également mis sur pied dans l'est de la province. À la même époque, l'autorisation de procès en français est étendue aux causes soumises à la Cour provinciale (division de la famille) à Ottawa et à Sudbury[98].

En 1978, le gouvernement modifie le *Judicature Act* de 1970 qui prévoyait que les brefs, actes de procédures et plaidoiries se fassent en anglais. Le 31 décembre 1979, il adopte un document définissant les procédures en français au criminel en Ontario pour les justiciables francophones[99]. En 1984, le gouvernement modifie la *Loi sur les tribunaux judiciaires*, permettant au français d'obtenir le statut de langue officielle[100]. Toutefois, selon Pierre Foucher, nous sommes toujours dans le domaine du droit formel[101]. Ce n'est qu'en 1987 que les justiciables peuvent être entendus par les juges dans leur langue.

LES SERVICES PUBLICS

Le 3 mai 1971, le Premier ministre de l'Ontario dévoile devant l'Assemblée législative les grandes lignes d'une politique de bilinguisme devant s'appliquer à l'ensemble des organismes gouvernementaux[102]. Celle-ci vise notamment la mise en place de services en français « là où le nombre le justifie et là où c'est pratique ». Le gouvernement crée le Bureau du coordonnateur du bilinguisme, dont le mandat est de favoriser le développement des services en français dans la fonction publique. En 1975, il institue le Conseil consultatif des affaires francophones qui deviendra, trois ans plus tard, le Conseil des affaires francophones de l'Ontario (CAFO). Son objectif est de conseiller le premier ministre sur les orientations et les politiques à adopter en vue de l'extension des services en français au sein de l'appareil administratif du gouvernement[103]. Par la suite, le Bureau du coordonnateur du bilinguisme devient le Bureau du coordonnateur provincial des services de langue française, qui doit désormais coordonner l'élaboration et la mise en œuvre de la politique provinciale sur la prestation des services en français[104]. En décembre 1981, une étude approfondie sur les services en français recommande de consolider le Bureau du coordonnateur provincial des services de langue française et d'augmenter son personnel[105]. L'étude suggère également au gouvernement d'adopter une législation sur les services en français afin qu'ils soient garantis à la population francophone de la province. Toutefois, à l'époque, le milieu franco-ontarien réclame plutôt une politique de bilinguisme officiel, à l'instar de la politique du gouvernement fédéral. L'étude du coordonnateur stipule cependant qu'il existe d'autres voies que le bilinguisme officiel afin de favoriser le développement du milieu francophone de l'Ontario. En juin 1985, le Bureau du coordonnateur provincial des services de langue française devient l'Office des affaires francophones et relève dorénavant du Conseil des ministres[106].

Toujours dans le domaine des services publics, en 1977, l'Assemblée législative de l'Ontario adopte la *Loi sur les services à l'enfance et à la famille* prévoyant des services à la famille et aux enfants en français et la *Loi sur les bibliothèques publiques*, qui autorise l'usage du français et de l'anglais dans les réunions des conseils locaux des bibliothèques de la province. Elle permet également l'affichage public des postes vacants dans les conseils locaux dans les deux langues, si nécessaire. Enfin, le gouvernement modifie la *Loi sur les accidents du travail* de manière à garantir la prestation de certains services en français, là où ils sont requis[107].

Le 18 novembre 1986, le gouvernement de la province, sous la direction de David Peterson, nouvellement au pouvoir, adopte la *Loi sur les services en français*. Nous y reviendons.

Le milieu municipal

Dès les années soixante, certains services municipaux sont dispensés en français. Toutefois, ce n'est qu'en 1982 que le gouvernement modifie sa législation relativement à la conduite des activités des conseils municipaux et à la gestion des affaires municipales. La Loi permet aux conseils municipaux de mener leurs activités en français, en anglais ou simultanément dans les deux langues. Cette Loi a été renforcée en 1986, lors de l'adoption de la nouvelle *Loi sur les services en français.*

Le milieu scolaire

L'éducation a été longtemps le domaine principal de revendications de la communauté francophone de la province[108]. Avant les années soixante, la lutte contre le Règlement XVII a poussé bien des francophones à consacrer leurs efforts au développement d'écoles primaires de langue française. Toutefois, dès les années soixante, ils revendiquent aussi des écoles secondaires de langue française. Pour sa part, J. Robarts déclare qu'il est favorable à l'ouverture d'écoles secondaires bilingues, sauf que les conseils scolaires ne veulent pas collaborer à son effort. En 1971, B. Davis annonce la mise sur pied d'une commission ministérielle appelés à réviser les Lois gouvernant l'éducation en français en Ontario au niveau secondaire et à soumettre des recommandations permettant de leur apporter des améliorations et des précisions. Tenant compte des recommandations de la Commission, le gouvernement modifie la *Loi 122 sur l'éducation* en y ajoutant des délais à respecter par les conseils scolaires pour l'ouverture des classes de langue française « à compter du jour où une demande écrite leur est présentée ». Au même moment, il adopte une nouvelle Loi en matière d'éducation, dont la partie XI est intitulée « French Language Instruction[109] ». De plus, de 1971 à 1979, le ministère des Collèges et des Universités établit une nouvelle formule de financement additionnelle pour un certain nombre de collèges quant à la prestation de services en français[110].

En 1984, s'appuyant sur l'article 23 de la *Charte canadienne des droits et libertés*, la Cour d'appel de l'Ontario reconnaît aux francophones de la province le droit de gérer leurs écoles. En 1986, la *Loi 75 sur l'éducation* établit également ce droit de gestion. Un premier conseil scolaire de langue française est mis sur pied à Toronto. En 1986, les écoles catholiques obtiennent le droit à un financement au-delà de la dixième année, ce qui réjouit les francophones. En 1989, l'adoption de la *Loi 109* permet la création du Conseil scolaire d'Ottawa-Carleton. En 1992, le Conseil des écoles séparées catholiques de langue française de Prescott-Russell voit le jour. Enfin, en 1997, grâce à la *Loi 104*, le milieu francophone obtient la pleine gestion scolaire. Sont créés 12 conseils scolaires, soit 8 catholiques et 4 publics.

LE DROIT LINGUISTIQUE

Pendant les années quatre-vingt, le ministère de la Consommation et du Commerce se donne un début de politique afin de permettre l'enregistrement d'actes immobiliers en français en Ontario[111]. Par la suite, le gouvernement modifie la Loi portant sur l'enregistrement de droits immobiliers et la Loi sur l'enregistrement des actes en vue de permettre l'enregistrement de certains actes en français selon la terminologie d'un lexique approuvé ou accompagné d'une traduction certifiée[112].

LA *LOI SUR LES SERVICES EN FRANÇAIS*

En 1985, l'arrivée au pouvoir de David Peterson, et du Parti libéral, provoque une rupture symbolique importante au sein de la province. Après 42 ans de gouvernement conservateur sans interruption, l'Ontario s'ouvre davantage au monde et à la francophonie. D. Peterson souhaite que la francophonie ontarienne soit reconnue comme un élément du patrimoine de la province, un symbole servant à montrer qu'il est possible de vivre en français à l'extérieur du Québec[113].

Ainsi, le 18 novembre 1986, l'Assemblée législative de l'Ontario adopte une *Loi sur les services en français*. Cette Loi sert à encadrer une partie des services en français déjà existants au sein de la province, en plus d'accorder un droit légal à tous les citoyennes et citoyens de la province à des services gouvernementaux en français au palier provincial. Elle « assure aux Ontariens francophones le droit de recevoir des services gouvernementaux en français. Elle identifie 22 régions désignées où le nombre de francophones est d'au moins 5 000 ou représente 10 pour cent de la population[114] ». En 1996, une 23e région est désignée, la région de London dans le sud-ouest de l'Ontario. Le gouvernement crée également le ministère des Affaires francophones ainsi que des postes de coordonnateurs de services en français dans les ministères. Le premier ministre de l'Ontario nomme Bernard Grandmaître à titre de ministre délégué aux Affaires francophones.

Nous aurions tort d'imputer la nouvelle législation uniquement au gouvernement libéral. Cette dernière est le résultat de la conjugaison des efforts d'intervenants et de députés francophones siégeant à la législature provinciale depuis les années soixante. Dès 1977, les représentants de l'ACFO réclament une loi-cadre visant à rendre officiel le français en Ontario[115]. Déjà, en 1978, Albert Roy, député de Prescott-Russell, dépose un projet de loi à l'Assemblée législative sur les services en français, mais le premier ministre B. Davis interdit la troisième lecture du projet[116]. En 1981, dans une étude approfondie sur les services en français pour le Bureau du coordonnateur provincial des services de langue française, l'on discute longuement des pour et des contre d'une telle loi et de la possibilité d'une reconnaissance du français comme langue officielle en Ontario.

En 1986, l'alliance entre les trois partis représentés à l'Assemblée législative ontarienne donne une légitimité encore plus grande aux revendications des francophones pour des services en français. Toutefois, à l'époque, le chef du parti néo-démocrate considère que la Loi ne constitue qu'une première étape. Selon lui, « l'objectif reste toujours l'enchâssement constitutionnel des droits minoritaires francophones dans la Constitution du Canada et dans la Constitution de l'Ontario, concernant les francophones de l'Ontario[117] ». Dans son discours lors de la troisième lecture du projet de loi sur les services en français, D. Peterson déclarait que « [l]'Ontario apporte ainsi une magnifique contribution au projet canadien de réconciliation nationale[118] ». Et d'ajouter : « les Québécois observent de très près ce que l'on fait ici, ce qui se passe à cette Législature[119] ».

Quelles ont été les réactions au sein de l'opinion publique ? Mentionnons, rapidement, que les médias francophones et anglophones de la province ont eu des réactions passablement différentes. Les médias anglophones ont perçu la nouvelle Loi comme une stratégie en vue de l'adoption d'une politique de bilinguisme officiel en Ontario. Selon le *Toronto Star*, « *[w]ith the passage yesterday of legislation extending government services in French, Ontario is inching nearer to bilingualism*[120] ». Dans un autre article, le *Toronto Star* annonce que « *[t]he final step — official bilingualism with rights entrenched in the Constitution — is still to come. It's long overdue. The province is ready for it*[121] ». Au contraire, les journaux francophones, notamment le *Le Droit*, ont affirmé que la nouvelle législation ne permettra pas d'aller très loin. On y déplore notamment l'exclusion des municipalités de la définition des organismes gouvernementaux. *Le Droit* critique aussi l'absence d'un mécanisme de contestation au cas où la législation ne serait pas appliquée, de même que l'absence d'un mécanisme de révision. Nous verrons plus en détail, dans les deux prochains chapitres, les perceptions de la situation par les acteurs engagés plus directement dans le développement des services en français, dans les domaines des services sociaux et des services de santé.

***

Pour terminer, soulignons à nouveau l'importance du contexte favorable à l'avancement des groupes qui a prévalu en Ontario et au Canada à partir des années soixante jusqu'au début des années quatre-vingt-dix. Ce dernier est caractérisé par une activité intense de la part des mouvements sociaux, mais également par l'alliance stratégique des gouvernements fédéral et ontarien. Ce chapitre montre notamment le rôle clé de la province de l'Ontario dans le débat politique au Canada. L'ouverture de la structure des « opportunités politiques » apparaît possible, parce que cette dernière a fait cause commune avec le gouvernement fédéral en vue de réagir — de façon constructive — aux revendications des différents groupes. La province s'est constituée en un relais stratégique en vue, notamment, de faire avancer les revendications du Québec et de la minorité francophone de sa province. Par conséquent, moins le gouvernement ontarien joue ce rôle de relais, après les échecs des Accords du lac Meech et de Charlottetown, moins le gouvernement fédéral est disposé à satisfaire les revendications des groupes. On voit bien le rôle stratégique de l'Ontario dans le repli de la structure des « opportunités politiques » sur elle-même.

L'ouverture de la structure des « opportunités politiques » n'a pas été vaine ou inutile pour les mouvements sociaux, bien que la question de la reconnaissance du Québec comme nation ainsi que celle des peuples autochtones demeurent des enjeux importants. Pire, la fermeture de la structure des « opportunités politiques » ne permet plus de passer par la voie constitutionnelle pour faire entendre ses récriminations. Par contre, les mouvements sociaux, dont les minorités francophones hors Québec, même s'ils bénéficient d'une telle reconnaissance constitutionnelle, nous semblent tout aussi limités dans leur capacité d'action que les groupes nationaux. La solidarité ne passant plus par la référence constitutionnelle, il devient difficile de s'en réclamer. Cette dernière est subordonnée aux exigences de l'économie et de la mondialisation, des phénomènes apparemment plus réels que les questions d'identité ou de reconnaissance.

Chapitre 3
L'Ontario francophone en mouvement

La mise en œuvre et le développement des services de santé et des services sociaux en français en Ontario

Le contexte dans lequel la mise en œuvre et le développement des services de santé et des services sociaux en français, en Ontario, ont été possibles depuis les années soixante n'a pas encore été étudié de façon systématique. Toutefois, les données disponibles révèlent que, pendant les années soixante-dix, l'ouverture de la structure des « opportunités politiques » a permis à des professionnels de la santé de profiter de la situation afin de sensibiliser la population et le gouvernement aux besoins des francophones dans leur domaine.

En 1971, dans le cadre de sa politique à l'égard des services en français, le premier ministre de l'Ontario, Bill Davis, met sur pied un comité consultatif en vue d'étudier la situation des services de santé en français au sein de la province. En 1976, le comité dépose un rapport s'intitulant « Pas de problème ». Ce rapport du comité d'action sur les services de santé en langue française est plus communément appelé le rapport Dubois, du nom de son président[122]. Celui-ci a étudié les services de santé en français dans des régions où il existe une importante partie de la population francophone de la province, dont l'Est ontarien. Le titre du rapport symbolise, d'après ses auteurs, l'attitude d'indifférence de la part du milieu médical et gouvernemental à l'égard de la question de la santé des francophones.

Le rapport Dubois est le premier à dénoncer les difficultés des francophones au sein du système de santé ontarien. Il critique l'attitude des anglophones à l'égard des francophones et insiste sur le besoin d'être soigné dans sa langue maternelle afin de mieux faire passer ses émotions et de ne pas avoir constamment à s'adapter à la langue des hôpitaux, notamment dans le domaine psychiatrique. Selon le rapport, même lorsque les employés sont bilingues, tout se passe en anglais ; l'on fait peu attention aux francophones lorsqu'ils sont bilingues.

Le rapport Dubois propose la formation de professionnels bilingues de la santé afin de pallier la pénurie de personnel bilingue. Ainsi, il recommande à la Faculté de médecine et à l'École des sciences infirmières de l'Université d'Ottawa de devenir bilingues. Il propose aussi à la province de subventionner des cours de sciences de la santé en français sans exigence de nombre. Enfin, le rapport Dubois exige la mise sur pied de services francophones garantis en tout temps. Il recommande en particulier que « la planification régionale et provinciale tienne compte de l'entité spéciale de l'Hôpital Montfort[123] ». De plus, le rapport explique que toute régionalisation des services de santé ne devrait pas être limitée aux soins ultraspécialisés.

En 1979, trois ans après le dépôt du rapport Dubois, le premier ministre de la province annonce une politique de services de santé en français qui comprend la désignation de régions où le nombre de francophones justifie un affichage bilingue ainsi que la traduction des documents du ministère de la Santé. De plus, toute personne qui en fera la demande au ministère de la Santé aura le droit d'être servie en français. Ledit ministère met en place un comité de professionnels à qui il confie la tâche de faire le tour des écoles secondaires et bilingues de la province, afin d'encourager les jeunes francophones à choisir une carrière en médecine[124].

Sur le plan régional, en 1982, le Comité des services en français du Conseil de planification sociale d'Ottawa-Carleton procède à une étude des besoins des professionnels francophones dans les domaines de la santé et des services sociaux en Ontario[125]. Le Comité étudie la situation des francophones de la province en vue de comprendre pourquoi les jeunes seraient moins enclins à poursuivre des études supérieures. Il note, à l'époque, qu'il n'y a toujours pas de programme universitaire en sciences de la santé en français. À l'instar du rapport Dubois, le Comité recommande l'octroi de subventions aux institutions postsecondaires afin d'offrir une formation en français en sciences de la santé.

En 1986, la *Loi sur les services en français* est présentée comme une mesure incitative destinée à parfaire l'offre de services en français dans les domaines de la santé et des services sociaux. En 1987 et 1988, deux ministères, celui de la Santé et celui des Services sociaux et communautaires, organisent, en collaboration avec l'ACFO, deux rencontres sur les besoins des francophones dans les domaines des services sociaux et des services de santé[126]. Étant donné l'absence d'un mécanisme formel d'évaluation de la législation sur les services en français, le gouvernement doit procéder à des mises au point. Comme nous l'explique un répondant, « les silences de la Loi sont une source de préoccupation ». Cette Loi ne prévoit aucun calendrier, aucune évaluation, aucune conséquence en cas de non-conformité. Pour cette raison, les études, les rapports et les rencontres avec les acteurs deviennent des éléments essentiels à l'appui au développement des services de santé et des services sociaux en français. De fait, en 1986, lors de sa rencontre avec les membres de l'ACFO, l'honorable John Sweeny, ministre des Services sociaux et communautaires à l'époque, expliquait que la législation sur les services en français avait un thème sous-jacent : « [e]lle suppose que la collectivité d'expression française participe davantage au processus décisionnel du gouvernement et à l'administration provinciale, régionale et communautaire[127] ». Selon le ministre, « par définition, la Loi encourage les francophones de toutes les régions de la province à participer à l'instauration des services publics en français, et veut aussi améliorer la qualité des services pour notre clientèle tout entière[128] ». Il souligne que son ministère « tente de favoriser la création de services en français dans le cadre d'une approche intégrée à la prestation bilingue de services[129] ». Toutefois, l'honorable Bernard Grandmaître, le ministre délégué aux Affaires francophones, considère également qu'

> [i]l est évident qu'il ne sera pas toujours possible de « bilinguiser » des services, c'est-à-dire, d'offrir exactement en français ce qui est disponible en anglais. Quant on parle de services sociaux, la solution n'est pas toujours de développer des services en fonction des modèles anglophones. Les francophones doivent obtenir un service égal qui soit adapté à la démographie et à la réalité culturelle. Dans certains cas, cela peut impliquer une façon tout à fait différente de servir la clientèle[130].

Selon un responsable des services en français à l'époque, Noël Thomas,

> [i]l est important pour les francophones de l'Ontario d'avoir accès à des services sociaux en français pour faciliter la communication verbale et non verbale, pour que le support de l'agence se fasse dans un contexte propre à la culture francophone et enfin parce que l'agence est un instrument de promotion culturelle qui facilite l'intégration du client dans sa communauté[131].

Ces propos sont révélateurs des enjeux que soulève l'application de la législation sur les services en français dans les domaines de la santé et des services sociaux. En rapport avec les revendications traditionnelles des acteurs du milieu qui cherchent à faire valoir le besoin d'une formation à grande échelle de professionnels francophones, ce que visent les ministres à l'époque constitue un changement radical qui doit déboucher sur une transformation importante des milieux de la santé et des services sociaux à l'égard des francophones. Comment les acteurs du milieu francophone, dix ans plus tard, perçoivent-ils la situation dans ces domaines ? Quelle a été, selon eux, la portée de la législation sur le développement des services en français ? Quel a été leur rôle ?

LA *LOI SUR LES SERVICES EN FRANÇAIS* : LES PERCEPTIONS DES ACTEURS

La *Loi sur les services en français* doit garantir la prestation de services gouvernementaux en français à toutes les personnes qui en font la demande. En vertu de l'article 5 de la Loi, toute personne de l'Ontario a le droit de recevoir des services en français et de communiquer en français avec les administrations et les institutions de la Législature. Il est donc important que le gouvernement trouve les moyens d'assurer la prestation des services en français. Un de ces mécanismes, la désignation d'agences, est sévèrement critiqué par les acteurs.

La désignation comprend :

> la permanence et la qualité du service en français, l'accès adéquat aux services, la représentation effective des francophones au sein du conseil d'administration de l'agence ainsi qu'à ses comités, la représentation effective des francophones au sein des différents paliers de gestion de l'agence, l'imputabilité du conseil d'administration et des cadres supérieurs en ce qui a trait à la prestation des services en français, laquelle doit être énoncée dans les règlements internes et les politiques administratives de l'agence[132].

Les organismes communautaires et les agences qui reçoivent des paiements de transfert, comme les hôpitaux, ont aussi la responsabilité de gérer une bonne partie des services gouvernementaux en français. En 1997, l'Office des affaires francophones gère une liste d'environ 178 agences désignées dans le domaine des services sociaux. Celle-ci comprend 80 organismes francophones et 98 agences bilingues. Le chiffre n'est pas énorme lorsqu'on constate qu'en 1995 il y a plus de 1 400 centres de services sociaux et plus de 3 500 centres de garde pour enfants dans la province. De plus, ces données ne tiennent pas compte des retombées découlant du transfert des programmes sociaux et de santé aux municipalités. Dans certains domaines, notamment celui des services aux aînés, on ne peut mettre un service sur pied sans l'appui financier des municipalités, ce qui peut compliquer la tâche des intervenants francophones.

Les acteurs rencontrés n'ont pas tous la même perception de la Loi. Certains sont plus critiques que d'autres, bien que tous soient conscients de son importance. Pour plusieurs, la législation est comprise comme un moyen « d'aller plus loin » ou comme « un outil de promotion et de développement, une garantie de droits et de services ». Par ailleurs, certains nous ont expliqué qu'il faut « l'appliquer en conscientisant » car selon eux, dans le nord de la province en particulier, « les Franco-Ontariens sont très peu sensibilisés à la Loi », ce qui constitue tout un obstacle au développement des services en français, car la législation ne prévoit pas une offre active de services à long terme.

La Loi est également perçue comme un moyen favorable à la création de liens entre les différents acteurs du milieu et les professionnels de la santé et des services sociaux. Plusieurs nous ont expliqué que, dans le sud de la province, les centres ont travaillé ensemble afin d'offrir une programmation variée à la population francophone, dont une ligne d'appel régionale. Dans d'autres régions, ceux qui ont été responsables de la mise sur pied d'un programme de sensibilisation à la violence faite aux femmes ont eu la collaboration du corps policier, des conseils scolaires et des services de logement. Toutefois, malgré ces efforts soutenus par les groupes, les acteurs demeurent très critiques. Une majorité des personnes rencontrées considère que la législation manque de mordant et qu'elle sert surtout les intérêts des groupes anglophones. Elle ne répondrait pas véritablement aux besoins des francophones.

Les critiques les plus importantes portent sur le processus de désignation et la fameuse question du « là où le nombre le justifie » en ce qui a trait à l'offre et la demande de services.

Plusieurs personnes s'en prennent au principe de la désignation parce qu'elles ne peuvent pas mesurer ou déterminer son apport au développement des services en français. « La désignation, ça fait absolument rien. Tous nos services sont en français et le C.A. est aussi francophone. Je ne sais pas pourquoi ils nous ont demandé de nous désigner, on l'est. » Par contre, d'autres nous expliquent que sans la désignation, il n'y aurait pas eu de services propres aux petites familles francophones : « si on n'était pas désigné, les services en français diminueraient ». Dans ces conditions, la désignation est associée à « une reconnaissance du travail qui est fait, non un bout de papier qui est mis dans la Loi et qui ne veut rien dire ». Souvent inquiets, certains répondants considèrent que la désignation a déjà été « un outil de sensibilisation, peut-être un outil politique », mais ajoutent : « pas sûr que la désignation nous donne quoi que ce soit présentement ». Un autre nous explique longuement comment la désignation a donné lieu à des procédures d'ordre bureaucratique plus ou moins favorables aux francophones.

> Dans la stratégie anglo-saxonne [choisie], on devait remplir un tas de formulaires pour dire quelles sont nos publications qui devraient être en français. Notre communication, dans quelle mesure ça va être en français [...], les panneaux [...], notre photocopie, c'étaient des détails comme ça. Le ministère donnait bêtement des sous. L'argent qu'il aurait pu stratégiquement utiliser pour doter les communautés de structures par et pour les francophones, cet argent a été bêtement donné aux institutions anglophones. Il n'y a pas eu une discussion de fond, de grandes

> discussions idéologiques [...] ; si quelqu'un au conseil ou à la haute direction de l'institution croit au fait français [...] ça dépend de la bonne volonté de l'administration de l'institution anglo-saxonne.

Plus pessimistes, certaines personnes considèrent que l'utilisation de la désignation par certaines institutions ou agences peut parfois servir à limiter le développement des services en français. En pratique, nous disent-elles,

> « la désignation, ça veut dire que la Loi n'a pas de dents [...] c'est un beau principe. Quand arrive la pratique, les agences se font désigner puis après elles font ce qu'elles veulent [...] y'a pas d'évaluation, ni de suivi... les directeurs [hôpitaux] sont anglophones, c'est pas une priorité [...] ».
> « Je n'irai pas dire que les organismes désignés sont forcément des organismes qui donnent des services en français. Ils devraient le faire mais ils ne les donnent pas. »
> « Le service devrait rencontrer la Loi. Il y a une ligne directrice [...] assurer que les services de santé soient offerts en français aux francophones [...] dans les documents officiels, c'est là. Le problème, c'est les gérants, les gestionnaires, les C.A. qui ne donnent pas, n'ont pas de cœur ou la condition n'est pas là pour les mettre en œuvre de façon réaliste. »

Selon un autre répondant, « il est difficile de convaincre les gens qu'il y a une nécessité pour les services en français ». Certains anglophones ont une approche utilitaire des services en français et ne comprennent pas leur importance en milieu francophone. Les francophones ne sont-ils pas déjà bilingues ? Cette idée, qui rejoint également les propos de Marc Cousineau dans son étude sur les services judiciaires en français, en Ontario, témoigne de la difficulté qu'ont les acteurs à faire valoir la francophonie comme une réalité culturelle légitime en Ontario[133]. On considère que les services en français ne s'adressent qu'aux personnes unilingues, comme si le bilinguisme rendait inutile le service en français. Être bilingue devient un marqueur d'identité qui vient annuler le besoin de services en français et amoindrir tout argument au niveau des droits, même acquis. Le rapport Dubois, vingt ans plus tôt, faisait la même observation au sujet de la pertinence de services en français dans le domaine de la santé[134]. Le bilinguisme des francophones est toujours considéré comme une raison valable pour ne pas offrir de services en français.

D'autres affirment que la *Loi sur les services en français* a surtout été conçue en vue d'amener des organismes anglophones à devenir bilingues alors que ce dont les francophones avaient besoin, c'était d'un réseau parallèle de services en français. Certains reconnaissent ouvertement que

> « [l]e ministère de la Santé a fait une erreur stratégique avec la *Loi 8* [...] c'est d'avoir courtisé les institutions anglophones ».
> « On a choisi un modèle de mise en place des services en français où la plupart des [sommes d'argent] vont [aux] organismes anglophones. »
> « La Loi n'a pas aidé nécessairement les services en français. Le premier problème c'est l'argent parce que [cet argent a] été distribué aux organismes anglos pour offrir des services en français [...] ; les organismes francophones qui offraient des services en français n'ont pas eu d'argent supplémentaire. Je trouve ça injuste. »
> « Le ministère donnait les bonbons. L'argent qu'il aurait pu stratégiquement utiliser pour doter les communautés de structures par et pour les francophones, cet argent a été bêtement donné comme des bonbons aux institutions anglophones [...] ; les institutions anglophones retirent [plus de sous] tranquillement et les francophones se retrouvent à zéro. D'où mon manque de respect total pour cette stratégie de désignation qui a [...] fourvoyé les communautés francophones [...]. C'est la solution la plus facile pour les fonctionnaires, d'aller chercher les anglophones, les institutions établies et [de les] courtiser, [de] se faire des chums. »

Les acteurs nous parlent aussi d'une utilisation politique de la désignation. « On a donné naissance à des centres à cause du gouvernement. Alors là, il faut que la communauté "couvre" pour répondre aux exigences de ce gouvernement-là. » Commentant l'intervention du NPD dans le domaine des services en français, un répondant nous explique que « le problème de base c'est qu'on est tombé avec un gouvernement qui était peut-être plus sympathique [aux] causes des femmes [...], alors y faut agir au moment ce gouvernement-là [veut agir] et pas au moment où la communauté est prête à recevoir les fonds ».

Parmi d'autres contraintes agissant sur la perception souvent critique de la Loi, la question du nombre constitue un irritant qui ne laisse aucun répondant indifférent. Une personne nous décrit la situation dans laquelle se trouvent ses employées en raison de l'insistance sur les nombres : « Il faut démontrer statistiquement le pourcentage de clientèle francophone pour garder la subvention et la désignation francophone. » Or, selon plusieurs acteurs, souvent anglophones, il n'y a pas beaucoup de francophones en Ontario. « *Once the Act was passed, and a lot of the non-French population were left in a little bit of a bind because they had to go out and find these francophones and there aren't a lot in the province of Ontario [...] an issue that has to be addressed* ». Frustré par ce genre de propos, un répondant nous explique que dans une ville comme Timmins, où la population francophone représente environ 40 % de la population totale de la ville, « [i]l est impossible d'avoir des services en français à cause du nombre [...]. Ils vont dire qu'il n'y a pas de demande de la part des francos [...] on est partis à 500 et on est rendus à plus de 3 000. La clientèle est là. » Toutefois, plusieurs reconnaissent, comme nous l'avons mentionné dans les pages précédentes, que la population francophone ne demande pas ses services en français.

> « Y'a peut-être un problème que la population ne les demande pas, des fois les gestionnaires se demandent pourquoi ils en offrent si les gens ne les demandent pas. »
> « La demande. Je pense que c'est le plus gros problème. »

Un répondant nous explique qu'il a déjà entendu dire : « ah ! bien moi, ça me fait rien qu'on me parle en français ou en anglais » parce qu'on lui demandait dans quelle langue il voulait qu'on le serve, qu'on communique avec lui. « Mais ça, ça ne nous aide pas. » Il y a cependant des francophones qui ont des habitudes bien ancrées. Ainsi, selon un autre répondant,

> c'est pas parce qu'il y a un service en français que tout le monde va arrêter de voir le médecin qui est là depuis 10 ou 12 ans pour aller vers le médecin de langue française. [Seul] celui qui a besoin d'un service pour la première fois [...] va être plus porté à aller vers la disponibilité du service en français s'il est là.

La question du nombre pose problème et ces quelques exemples de perceptions sont révélateurs du rôle important que doit jouer la population francophone dans le développement des services en français. Les acteurs se sentent limités dans leur action pas uniquement en raison d'une loi qu'ils ne trouvent pas parfaite, mais également parce que la population doit jouer un rôle actif dans un domaine où elle a été traditionnellement obligée de s'adapter ou d'adopter une attitude passive. Comme le soulignent ces deux répondants,

> « [s]i les gens le demandaient plus souvent, ou l'utilisaient même plus souvent, le service est là. Trop souvent encore, le client rentre, ou le patient rentre, et il parle en anglais quand c'est clair que tu as le droit, tu entres dans un hôpital, tu devrais te faire servir puis probablement que tu peux te faire servir en français. »
>
> « Les francophones ont toujours lutté à Cornwall. Cependant, l'attitude minoritaire règne toujours. On parle en anglais plutôt que d'attendre [pour] les services en français. La communauté francophone ne se tient pas. Elle rejoint plutôt les anglophones. C'est une fierté pour les francophones de parler anglais. C'est une langue porteuse de prestige. Dans les écoles francophones, on parle anglais dans les corridors. »

Les francophones demanderaient-ils davantage de services en français s'ils participaient à des conseils d'administration et aux consultations gouvernementales ? Certaines personnes nous expliquent que la question de la représentation des francophones à des conseils d'administration est importante. Toutefois, elles nous disent que les francophones ne seraient pas habitués à ce type d'engagement : « C'est pas dans leur culture du tout. » Parlant des francophones du nord de la province, un répondant nous raconte que

> les gens qui avaient le temps de siéger [à] un C.A. sont les patrons, les familles de patrons ou les citoyens haut placés, donc des anglophones, même dans un service à majorité francophone. Les francophones dans cette région étaient souvent partis six mois par année et les femmes étaient seules à la maison.

De toute façon, selon plusieurs, la consultation des francophones par le gouvernement laisse à désirer. « Il y a une grosse absence de francophones dans le domaine. Le réseau actuel, c'est un réseau de fonctionnaires. [...] on voulait faire les choses assez vite. D'après moi, on n'a pas assez consulté la population. » Malgré un appel à l'engagement, nous avons aussi rencontré plusieurs acteurs qui ont trop peur de l'influence néfaste de l'APEC[135] sur les services en français, notamment à Cornwall et à Timmins, pour penser que la situation pourrait changer fondamentalement. Un répondant nous explique :

> Nous nous faisons attaquer assez régulièrement par les anglos parce qu'ils sont jaloux de notre [organisme] en tant qu'acquis uniquement francophone... ces attaques reviennent de façon cyclique. [...] Les anglos sont un peu jaloux de voir qu'on offre une qualité de services... ce qui cause des problèmes pour essayer de nous obliger à donner des services bilingues, donc en anglais.

Les anglophones se plaignent des francophones parce que les services en français coûteraient cher : « On utilise nos taxes pour pourvoir la *French Clinic*, c'est comme si les *French*, eux, y payaient pas de taxes. » Selon notre répondant,

> ce que je trouve malheureux, c'est que les anglophones prennent rarement l'exemple des francophones. Si les francophones ont fait quelque chose de bien, de dire que l'on va suivre leur exemple parce qu'eux autres on fait ça pis ça marche bien.

La solidarité entre les deux groupes linguistiques est presque impossible en raison de la rivalité entre eux. Les anglophones pensent qu'ils perdent quelque chose lorsqu'ils constatent des différences entre les deux groupes, apparemment à l'avantage des francophones. Voici certaines remaques :

> « [M]ais il ne faut pas se leurrer, nous sommes en Ontario, nous sommes minoritaires. »
> « Ils ne sont pas méchants [les anglophones], mais il disent pourquoi toi et pourquoi pas nous ? »
> « Tu peux être certain que tu vas avoir du *feedback* de la communauté anglo qui devrait eux avoir accès à tout, même si le contraire n'est pas correct. »
> « Il y a un manque général de médecins à Cornwall et les anglos voient mal que les francophones s'approprient des médecins pour leur clientèle uniquement en français. »

Le rapport avec les anglophones est délicat, mais il n'est pas insurmontable. Écoutons quelques acteurs nous expliquer leurs stratégies par rapport aux anglophones, alors qu'ils tentent de favoriser le développement des services en français dans leur milieu :

> Mississauga est considérée comme une ville très difficile puisque la mairesse ne veut pas de services en français. Cette ville est désignée. Le centre doit donc donner des services pour les soins de longue durée en français. Les 12 personnes du C.A.

> sont très favorables. Pourquoi ? La représentante des francophones a su travailler avec le groupe, se faire respecter. Donc, maintenant les services en français sont respectés.

Prendre ainsi en charge le respect des services en français sur une base individuelle paraît un risque mais la situation est courante en Ontario. Il s'agit d'un modèle fondé sur un rapport personnalisé et marqué par une logique de lobbying intense qui donne toute la responsabilité du service à un individu auquel certains anglophones semblent réagir plus favorablement qu'à d'autres. Toutefois, selon certains répondants, il est vrai que des groupes anglophones donnent aussi leur appui aux francophones sur des questions précises. Un acteur nous explique, en parlant des compressions de services dans sa région, que « quand il y a eu la menace de couper des sous, tout le monde s'est uni puis, à partir de ce moment-là, [le regroupement] a toujours été solidaire dans les positions du centre d'aide francophone ».

Un autre répondant nous a expliqué que le poste de directeur d'hôpital dans sa région devrait être bilingue, mais que le candidat choisi ne l'était pas. « Eh bien, nous dit-il, c'était le meilleur défenseur des services en français parce qu'il fallait qu'il comble quelque chose qu'il n'avait pas. [...] [J]e crois que ça a beaucoup à voir avec les individus. » Ces individus, on les trouve aussi chez les bénévoles. Un autre répondant nous raconte que de la cinquantaine de bénévoles au sein de son service, « y'en a une dizaine qui sont entièrement anglophones, qui donnent énormément de temps au projet ».

Pour d'autres, la législation est aussi venue modifier l'attitude de certains anglophones à l'égard des francophones, notamment au sein de la fonction publique. Selon un répondant, « certains superviseurs anglophones qui pensent à l'aspect francophone, avant ça ne se faisait pas ». Selon un autre répondant,

> on ne sait pas si c'est bon ou non, mais ce que ça nous indique... c'est que la participation des anglophones nous encourage dans nos démarches... ça permet aux enfants de vivre davantage en français puis de ne pas associer la langue au milieu scolaire. [...] [L]a participation des anglophones [parents de mariages mixtes], c'est très encourageant, ça aide à pallier à l'assimilation ».

Toutefois, selon un répondant anglophone : « *the Francophone population has not been as aggressive about suggesting that the meetings should be designated in French and so, we've kind of gone with what meets their need.* »

Enfin, les personnes sont unanimes à dire qu'elles sont inquiètes de l'âge des militants francophones : « les gens qui se battent ont entre 40, 50 et 60 ans. Y'a pas de relève ». D'autres considèrent qu'il n'y a plus d'espoir.

Dans l'ensemble, les acteurs font preuve de réalisme. Ils ne tombent pas dans la désillusion mais certains sont inquiets, parfois amers. Malgré une structure des « opportunités politiques » réceptive aux revendications des francophones, les acteurs ont vite identifié les obstacles auxquels ils sont souvent confrontés. Selon eux, la désignation et l'exigence des nombres constituent des éléments du processus politique qui peuvent soit minorer ou augmenter le succès des francophones à obtenir des services de santé et des services sociaux en français. Pour plusieurs, la stratégie gouvernementale visant à rendre bilingues des organismes anglophones plutôt que de créer des services homogènes ou parallèles francophones ne représente pas une avancée mais une limite au développement des services de santé et des services sociaux en français. De plus, nous avons vu que dans des régions comme Cornwall ou Timmins, la réceptivité du milieu à l'idée des services en français n'est pas acquise, et ce malgré les nombres. La rivalité constante entre les anglophones et les francophones oblige ces derniers à justifier la nécessité des services en français à la base et non uniquement auprès du gouvernement. En ce sens, la législation sur les services en français semble avoir donné lieu à une politisation intense des acteurs qui interviennent dans les domaines de la santé et des services sociaux. La Loi devrait avoir rendu leurs revendications plus légitimes, sauf que la résistance au sein de la population semble aussi forte qu'elle pouvait l'être au sein du gouvernement dans un contexte de fermeture de la structure des possibilités. De fait, la question de la mise en œuvre et du développement des services en français contraint les acteurs à faire face à un processus politique marqué par une longue histoire de tensions entre les deux groupes linguistiques.

LES ACTEURS ET LE PROCESSUS POLITIQUE

L'étude des perceptions des acteurs nous a aussi permis de préciser la dynamique ou le processus politique à l'intérieur duquel ils tentent d'exercer une influence sur le développement des services de santé et des services sociaux en français. Chacun semble occuper une place bien distincte sur l'échiquier politique.

Les directeurs généraux (D.G.) des services de santé et des services sociaux

Le tableau 2 au chapitre premier indique que nous avons rencontré 14 directeurs généraux des services de santé et des services sociaux. Ces derniers sont des employés de leurs organismes respectifs. Ils sont aussi responsables des plans de désignation des agences. Pour cette raison, ils sont souvent comparés, par les autres personnes interviewées, à des chiens de garde des services en français. Selon un répondant : « Eux ont vraiment un rôle de première ligne, c'est-à-dire, au niveau de l'identification d'appui au niveau des plans de désignation, de vérifier que leurs plans étaient conformes aux exigences de la Loi. » Un autre répondant nous explique le rôle clé des

D.G. francophones dans les organismes qui se disent bilingues. « Sensibiliser à l'intérieur de leur propre boîte aux besoins des francophones, ça n'a pas été facile parce qu'elles étaient souvent des boîtes anglophones ou des boîtes qui se disaient bilingues. » Certains reconnaissent d'ailleurs que dans ces boîtes le D.G. francophone est souvent « *the token francophone* ».

Pour leur part, les D.G. rencontrés se perçoivent comme des personnes dynamiques. Certains nous expliquent qu'ils ont une culture francophone très forte. Et d'ajouter : « puis les gens avec qui j'ai travaillé, j'ai vraiment senti, ils poussaient ça tu sais ». Ainsi, les D.G. nous ont parlé de leur quotidien. Ils siègent à de multiples comités, lancent des initiatives, assurent la représentation de leur service auprès d'organismes bilingues. Certains sont engagés plus directement dans le développement de services ou de projets francophones. Toutefois, malgré leur grand dévouement à la cause des services en français, nos entretiens ont révélé que l'optimisme ne règne pas dans leurs rangs. À l'époque, plusieurs D.G. ont reconnu que la dynamique politique en Ontario n'allait pas être favorable à la création de nouveaux centres de santé francophones. Rappelons que nos entretiens ont été réalisés avant l'événement Montfort. On ne peut donc dire que c'est le mouvement S.O.S. Montfort qui a provoqué cette perception de la situation chez les D.G.

Les professionnels de la santé et des services sociaux

Nous avons rencontré 48 professionnels travaillant dans les domaines de la santé et des services sociaux. Nous avons constaté que, dans la plupart des cas, ces personnes s'imposent une exigence de travail en collaboration étroite avec le milieu. « Notre agence étant une agence communautaire, notre mandat est de travailler avec la communauté, d'aider la communauté. » Certes, il n'y en a pas un qui a la même définition de la communauté. Parfois, cette dernière c'est la famille ou encore le lien que les professionnels vont tisser avec le milieu associatif, les réseaux sociaux ou la population. Quelle que soit l'approche, l'importance que prend la communauté dans le discours du milieu professionnel fait ressortir le lien entre le social et la santé en milieu francophone. Comme le souligne un répondant, « on voit une relation très grande entre le social et la santé. La condition économique, la condition sociale, c'est reconnu au point de départ ».

Ainsi, les professionnels considèrent qu'ils doivent être polyvalents et engagés, c'est-à-dire être à la fois au centre du service et sur la ligne de front. Certains nous expliquent qu'ils se sentent eux-mêmes très engagés :

> « Il y a un engagement de la part des employés qui participent activement à la communauté. »
> « Chaque employé-e est une personne autonome qui a une responsabilité, qui a une imputabilité, un rôle important. La majorité a un contact avec le public. »
> « Il y a une personne dont le rôle est de faire du développement dans la communauté, de maintenir des communications avec la communauté et puis de travailler avec la communauté, avec les organismes. »
> « On a le désir d'améliorer la santé de notre communauté. »
> « On creuse un peu, on voit que la madame est pas capable de nourrir ses enfants, qu'elle arrive pas avec l'argent qu'elle perçoit du Bien-être [...] ; il suffit de l'amener à faire les demandes, à voir ses besoins. »
> « Nos professionnels [du domaine de la] santé se mettent ensemble et parlent des besoins. On le voit, on a des contacts directs avec la population, on est dans le milieu. »

Cet engagement confère un pouvoir aux professionnels et aux D.G. qui leur permet de se présenter comme des médiateurs importants entre le gouvernement et le milieu, notamment dans la définition des enjeux et des besoins des francophones. Ainsi, ils sont en mesure d'influencer la situation en raison d'un savoir que nul autre ne semble en mesure de détenir ; et ces derniers en sont conscients. Un répondant nous explique : « On est mieux placés que qui que ce soit [...] ; on connaît bien notre population [...] ; on fait un travail important dans la communauté. »

Les membres des conseils d'administration (C.A.) des services de santé ou des services sociaux

L'on aurait pu croire que les membres des C.A. sont très engagés dans la définition des besoins du milieu et qu'ils tentent d'avoir une influence directe sur le développement des services en français. Ce n'est pas le cas de ceux que nous avons rencontrés. Plusieurs nous ont expliqué que ce n'est pas aux membres des C.A. de détecter les besoins de la communauté ou de se mobiliser : « En tant que membres du C.A., les gens qui vont être dans la meilleure position pour détecter les besoins de la communauté, c'est les employées et employés. » Et d'ajouter : « Les besoins diffèrent... on n'est peut-être pas des experts non plus. »

Il y a bien quelques exceptions :

> Comment peut-on s'assurer d'être à l'écoute des éléments extérieurs [...], c'est l'étape où on est rendus dans la définition de notre modèle de gouvernance. Chaque membre est responsable d'être championne et champion. C'est pas suffisant d'être au C.A. Il faut également que tu t'assures de sensibiliser ton entourage.

Nous avons rencontré dix présidentes et présidents de C.A. Tous considèrent que leur rôle principal est d'être le gardien du budget. De fait, il y en a qui se limitent à ce rôle.

> On se rencontre seulement [qu'à] tous les deux mois depuis quelques années parce que ça fonctionne bien. Pourquoi se rencontrer ? Nos réunions consistent à approuver les dépenses, les

> augmentations de salaire et ces choses-là. On n'engage pas, non plus. On ratifie seulement [...].

Pour d'autres, le rôle du C.A., « c'est de garder l'optimisme ; les membres du C.A. n'entretiennent pas vraiment de liens au niveau politique, soit local ou provincial... ». Certains C.A. sont cependant plus actifs. Leurs membres peuvent être appelés à participer à des collectes de fonds, à faire la promotion du service, à rencontrer des élus, des fonctionnaires, à intervenir dans les médias. Le C.A. peut aussi jouer un rôle dans le développement de partenariats avec d'autres groupes francophones.

Dans l'ensemble, les C.A. sont constitués de membres du milieu, souvent des professionnels qui sont parfois déjà très engagés dans le développement des services en français dans leur milieu de travail. Ainsi en est-il d'individus que l'on cite régulièrement comme feu le docteur Corbeil, de Cornwall, qui aurait été très actif au C.A. de son hôpital afin de faire avancer les services en français. Toutefois, parmi les enjeux que débattent les responsables de C.A., certains se demandent s'ils ne devraient pas jouer un rôle plus large que celui d'administrateur. Selon un répondant, « depuis deux ans, les membres du C.A. n'ont pas fait de réflexion, ils s'occupent du quotidien ». Ou bien : « notre conseil d'administration a une grande confiance dans notre directeur général. On dit que ce n'est pas à nous de faire son travail [...] ». De plus, dans une ville comme Toronto, la question de la composition des C.A. donne lieu à des enjeux de représentation de la diversité multiculturelle francophone.

Les fonctionnaires et les responsables des conseils régionaux de santé (CRS)

Nous avons regroupé ces deux types d'acteurs, car ils sont directement associés au gouvernement. En tout, nous avons rencontré neuf personnes travaillant au ministère de la Santé, aux conseils régionaux de santé ou au ministère des Services sociaux et communautaires. Les responsables des conseils régionaux se considèrent comme des acteurs importants dans le développement des services en français en Ontario, autant que les fonctionnaires. Les conseils régionaux de santé sont composés de fournisseurs de services dans le domaine de la santé, d'utilisateurs et d'élus municipaux. Ils existent depuis 1989. Jusqu'en 1997, il y avait trente-trois conseils régionaux de santé en Ontario. Depuis janvier 1998, leur nombre a été réduit de moitié par le gouvernement conservateur.

Les CRS ont pour mandat de conseiller le ministre de la Santé de l'Ontario. Ils constituent une instance intermédiaire entre le ministère de la Santé, les services et la population. Selon un répondant,

> [l]e conseil de santé est responsable de donner au ministère de la Santé son avis [à propos des] services de santé [...]. Le conseil de santé ne fait pas la police. Ce n'est pas notre rôle. Donc, il peut y avoir un problème ou une différence entre le plan proposé par une agence au moment du processus de désignation et la réalité d'opération actuelle. Nous avons fait savoir au ministère de la Santé que nous croyons que c'est son rôle de veiller [au grain], parce que c'est lui qui donne des fonds aux agences.

D'autres vont spécifier que les CRS

> « ont la responsabilité, pas des services, mais de l'examen du système de santé en vue des conseils qu'on pourrait donner au ministre sur les programmes et services ».
> « On est un peu l'organisme [qui fait le lien] entre le ministère et la communauté. On répond à notre conseil d'administration. On se doit de représenter notre communauté et [ses intérêts et besoins] dans chacun de ces volets auprès du ministère. »

La gestion de l'offre et de la demande oblige les professionnels, notamment les D.G., à entrer en rapport avec différents organismes de planification. Dans le domaine de la santé, l'exigence de planification amène les responsables des services à travailler en collaboration avec les CRS. Dans le milieu des services sociaux, les D.G. brassent plus directement leurs affaires avec les fonctionnaires. Or, en ce qui a trait à leurs rapports avec les CRS, bien des acteurs nous ont indiqué que ceux-ci servaient essentiellement à bloquer la mise en œuvre et le développement des services en français. Les francophones se feraient souvent répondre : « Pourquoi donner quelque chose aux francophones, quand les anglophones ne l'ont même pas encore ? » Selon plusieurs, les CRS « ne seront sûrement pas là pour nous enlever les bâtons des roues ».

> Le CRS, c'est une farce. Il veut des services intégrés. Il y a eu de bons liens entre la communauté francophone et le CRS pendant un an et demi environ, jusqu'à l'arrivée des coupures budgétaires. Maintenant, le CRS dit qu'il a son propre plan et le sous-comité sur les services francophones va se rencontrer seulement trois fois par année. C'est un enjeu politique très fort.

Certaines personnes considèrent que le CRS

> « ignorait les francophones et croyait satisfaire [les] besoins d'un francophone parce qu'il [lui] parlait [en] français ».
> « [...] on s'est inquiété de l'attitude de ce conseil régional de santé, leur attitude par rapport au service à rendre aux francophones ».
> « Le conseil régional ne nous a pas aidés beaucoup [...]. »

Selon un répondant, il serait même préférable de passer par-dessus la tête du CRS pour faire avancer certains dossiers.

La situation montre certainement l'existence d'un manque de compréhension des besoins du milieu par les responsables des services en français dans les CRS, ou encore d'un conflit en ce qui a trait à la définition des services en français. Les CRS ne semblent pas très flexibles à l'égard de la demande de services parallèles en français. En ce sens, ces derniers seraient comparables à une sorte de contre-mouvement à l'intérieur du réseau des acteurs associés au développement des services en français. Si l'on accepte, à l'instar de Bert Klanderman[136], que les mouvements correspondent toujours à des champs multi-organisationnels dans lesquels on trouve des partenaires et des adversaires, la place du CRS dans l'espace de gouvernance que constitue celui des services en français témoigne bien de ce phénomène. Les CRS nous sont apparus comme un lieu d'intersection des acteurs, un carrefour « là où ça bloque » en vue du développement des services en français. Le CRS semble être un acteur dont il faudra davantage suivre l'évolution, surtout en ce qui a trait au développement des services de santé parallèles en français.

Pour leur part, les fonctionnaires francophones sont considérés comme des acteurs clés dans le domaine des services en français. Un répondant nous explique qu'il était là avant que la Loi soit adoptée. Selon lui,

> Il fallait d'abord concevoir comment on allait procéder pour implanter la Loi. Ensuite, j'ai travaillé à l'implantation, il a fallu diriger l'implantation, il a fallu évaluer ce qui était en place. La Loi qui est entrée en vigueur, il a fallu apporter les correctifs, assurer les suivis. Après ça, il y a eu toute la phase des désignations des agences des services publics [...]. On travaillait beaucoup avec la communauté, on se disait c'est de mettre les services en place et si la communauté n'est pas équipée pour les utiliser, s'il n'y a pas suffisamment d'information, ça va peut-être entraîner des problèmes au niveau des services, des utilisateurs. Alors notre but, tout l'aspect communautaire, était d'aider les organismes à travailler avec la communauté et partout dans les petites localités, comme dans les grandes communautés provinciales, de façon à sensibiliser les gens. Les choses qu'on a faites à cette époque-là, c'était de mettre en place des infrastructures communautaires qui allaient [soutenir] l'effort du gouvernement.

D'après plusieurs personnes, les fonctionnaires francophones sont des mordus de la cause et des alliés :

> « Ce sont des gens qui nous ont dit : vous avez une Loi [...]. Il y a des programmes, servez-vous-en. »
> « Y sont là pour nous écouter et [ils] respectent quand même qu'on a le droit d'avoir notre part des choses pis qu'on a le droit de réclamer. »
> « Il y a eu du monde [...] qui ont fait en sorte que la Loi soit respectée. »

Certaines personnes perçoivent aussi les fonctionnaires comme des intermédiaires entre le service et le gouvernement. « La personne [responsable] pour le ministère s'est toujours assurée que les services devaient être là, dans notre secteur. » On souligne notamment le rôle de leader des ministères de la Santé et des Services sociaux et communautaires dans le développement des services, mais il reste de la sensibilisation à faire:

> « Les intervenantes ont beaucoup sensibilisé les fonctionnaires à la problématique de la violence faite aux femmes. »
> « J'ai toujours senti une certaine sensibilité de la part des fonctionnaires, certains fonctionnaires francophones, je dirais même de la part de certains fonctionnaires anglophones avec qui on a travaillé. »

Ils n'ont cependant

> « pas tous nécessairement des patrons ou patronnes ouverts et francophones ».
> « [...] souvent ils sont obligés de retourner voir leur *boss* et le *boss*, c'est un anglophone. Et ça c'est... ça je pense que c'est au détriment de la communauté francophone. »

La méfiance à l'égard des anglophones est importante, aussi bien au palier provincial que régional ou local. Ainsi, certains nous expliquent que dans le cas où les superviseurs au gouvernement sont des anglophones, la dynamique de mise en œuvre du service pose problème :

> En principe, qu'est-ce qu'y'arrive c'est qu'on a nos documents en français, y'a toujours des erreurs parce qu'y'ont été traduits, mais ma superviseure de programme est anglophone. Elle peut dire bonjour [...], c'est très difficile [...] ; en tout cas c'est un gros problème pour moi.

Les groupes de femmes et le milieu associatif francophone de l'Ontario

Notre étude étant destinée, avant tout, à des groupes de femmes, nous avons rencontré 48 personnes qui travaillent ou font du bénévolat au sein de ces derniers. Nous avons également demandé à l'ensemble des acteurs de nous faire part de leurs perceptions du rôle des groupes de femmes et du milieu associatif dans le développement des services de santé et des services sociaux en français. Ainsi, dans nos rencontres avec les gens de Cornwall, il a été souligné, à plusieurs reprises, que l'activisme des groupes de femmes dans les domaines de la santé et de la violence faite aux femmes avait été important dans le développement des services de santé et des services sociaux en français : « les femmes semblent jouer un rôle prédominant au sein de toute l'organisation tant locale, régionale que provinciale des centres de santé ». Selon plusieurs répondants, c'est l'action d'un groupe de femmes francophones qui a été à l'origine du Centre de santé communautaire de l'Estrie :

> « Le centre est parti d'une initiative de femmes qui voulaient un centre de santé pour femmes. Elles ont réalisé une concertation et ont fait une demande officielle aux bailleurs de fonds. »
> « C'est un groupe de femmes qui voulait avoir des services en français. Elles sont allées au ministère, voulant un centre uniquement pour les femmes. »

Or, on leur a répondu qu'elles pourraient avoir un centre francophone, mais que celui-ci aurait une vocation particulière aux femmes.

Dans le Nord, à Timmins, c'est l'Union culturelle des Franco-Ontariennes qui symbolise cet activisme, alors qu'à Toronto, on mentionne la Table francophone féministe de concertation provinciale de l'Ontario, l'Action ontarienne de lutte contre la violence faite aux femmes et le Réseau des femmes noires francophones de Toronto. Le rôle important des femmes de la région d'Ottawa, occupant la position de relais entre les francophones et le gouvernement, est également souligné par plusieurs répondants :

> « On a approché des individus [qui, estimait-on,] pourraient croire [à cette cause] et avoir une expérience en intervention aussi. C'est toutes des femmes qui, je crois, ont fait de l'intervention. »
> « Ce sont des femmes qui formaient le comité de recherche. Des femmes fortes qui croyaient beaucoup dans le service, qui ont travaillé d'arrache-pied, qui ont réussi par exemple à se faire libérer de leur temps de travail. »

Pour leur part, les groupes de femmes intervenant dans le domaine de la violence faite aux femmes ont aussi mis de l'avant une stratégie de légitimation des services comportant des études de besoins.

> Il y a eu d'abord une étude de besoins [...] pour connaître ce que les femmes francophones souhaitaient recevoir comme services et dans quel cadre [...]. On savait que la population francophone est en nombre suffisant pour justifier un service autonome. De cette recherche est sorti un plan quinquennal de développement et là la lutte a commencé [...]. Ç'a été 16 mois de démarchage politique pour enfin obtenir du ministère un avis pour un centre d'aide francophone autonome [...].

L'ACFO régionale, dans le nord de la province, est également considérée comme un acteur important. Cette dernière a présidé à la mise en place du projet du centre de santé communautaire francophone à Timmins. Ailleurs, par contre, on nous explique que les groupes de pression comme l'ACFO peuvent aider, mais que « c'est pas à grands coups de politiques puis à grands coups de lobbying et de menaces qu'on vient à bout d'avancer ». Or, pourquoi les acteurs n'aiment-ils pas la démarche de lobbying de l'ACFO alors qu'ils l'acceptent lorsqu'elle vient des élus ? Pour plusieurs,

> « [q]uand ça devient spécialisé, c'est difficile pour l'ACFO de jouer un rôle, mais elle a quand même réuni les professionnels qui offraient des services en français. Le centre de jour aussi, je pense qu'ils ont joué un rôle dans la francophonie ».
> « J'ai déjà été animatrice à l'ACFO et à un moment donné tu faisais des revendications pour avoir ton bébé en français, pour une question de forme. Moi je ne suis pas là. »

On indique que l'ACFO n'a pas été un leader dans le domaine de la lutte contre la violence, probablement parce que la question ne serait pas associée à la francophonie.

De façon générale, il existe un ensemble d'organismes communautaires et d'associations qui appuient le développement des services en français en Ontario : les caisses populaires, le Club Richelieu, les banques, les paroisses, les organismes sociaux, les conseils scolaires. Selon un répondant,

> [l]e mouvement associatif a été, dans plusieurs dossiers de l'enveloppe sociale, l'étincelle et le mécanisme qui ont permis parfois le développement ou qui ont maintenu ce développement communautaire . [...] On doit rejoindre notre population à l'aide de ces organismes. Alors, automatiquement, ils deviennent nos partenaires. Ils nous aident à promouvoir nos services.

Les responsables des services gardent toutefois le contrôle de la situation.

Les élus

Nous avons rencontré six élus francophones, parmi lesquels plusieurs se considèrent comme des leaders importants au sein de leur communauté. Ils se sentent responsables de dire aux francophones d'utiliser les services en français, sans quoi ils risquent de les perdre. Ils se sentent aussi responsables d'expliquer aux anglophones que les services en français ne constituent pas une menace. « Je me vois comme un leader de la communauté, pas le seul. Je parle de la communauté francophone. »

Toutefois, les personnes sont également très critiques à l'égard des élus. Seuls les cas exceptionnels sont perçus comme des acteurs importants dans le domaine des services en français : « ce n'était pas leur cheval de bataille ». On se demande aussi « si les leaders politiques sont là pour [eux-mêmes] ou s'ils sont là pour la communauté ». Les élus au palier fédéral brillent par leur absence. Selon plusieurs, les députés fédéraux « n'ont rien qu'ils peuvent faire vraiment ». « Le bonhomme ne vient même pas à Timmins. » Par contre, certains avouent que leur député fédéral a toujours appuyé leurs revendications.

De tous les élus cependant, les personnes qui siègent à des conseils municipaux sont les plus pointées du doigt. On nous a expliqué, notamment dans le Nord, que les élus municipaux s'affirment comme francophones pour se faire réélire. À Ottawa, les francophones doivent souvent rencontrer leurs élus municipaux. Les aînés ont eu besoin de l'appui des conseillers municipaux pour voir au développement de leur centre de jour. On souligne exceptionnellement la facilité avec laquelle Vanier a appuyé la mise en place d'un centre de jour pour aînés. Les personnes interviewées considèrent que les élus municipaux freineraient plutôt le développement des services en français : « À Port Colborne, il y a un groupe d'aînés qui ont voulu transformer le club d'âge d'or en salle de jour pour personnes âgées, et puis le Conseil municipal a toujours dit non, on vous donnera pas d'argent... »

On se rappellera également l'épisode de Sault-Sainte-Marie, un exemple des difficultés qui attendent les francophones alors que les municipalités seront dorénavant les responsables de la livraison des services. Il ne faudrait pas oublier qu'à l'époque, comme le rappelle un répondant, « 70 municipalités se sont opposées à cet effort du gouvernement de reconnaître les francophones comme groupe vulnérable particulier qui nécessitait une loi pour les encadrer, les protéger et éviter l'érosion linguistique ». Mais il ajoute aussitôt qu'

> autant de municipalités fortes — Ottawa-Carleton, Toronto, Windsor — ont également passé des résolutions favorisant cet essor du bilinguisme et la reconnaissance de la *Loi sur les langues officielles* et la *Loi sur les services en français* [...], les ordonnances de ces municipalités représentaient presque 95 % des foyers francophones de l'Ontario au niveau des régions désignées.

Force est de constater que les acteurs rencontrés se sont tous d'une façon ou d'une autre mobilisés en vue du développement des services de santé et des services sociaux en français. Mais nous disons bien « d'une façon ou d'une autre », car nous constatons que leur influence sur le changement en faveur des francophones est fonction de la place qu'ils occupent sur l'échiquier politique. Il existe des différences de pouvoir importantes entre les acteurs et elles expliquent, en partie, l'influence qu'ils peuvent avoir sur la mise en œuvre, le développement ainsi que l'orientation des services de santé et des services sociaux en français. Ainsi, en haut de la hiérarchie, les élus, les fonctionnaires et les responsables de conseils régionaux de santé peuvent plus facilement influencer le développement des services en français que d'autres acteurs. Pour leur part, les directeurs généraux de services ainsi que les professionnels de la santé et des services sociaux ont un pouvoir qui leur revient principalement parce qu'ils sont des intermédiaires entre la population et le milieu gouvernemental. Enfin, les groupes et la population détiennent un pouvoir de revendication qu'ils doivent sans cesse affirmer et consolider, sous peine de ne pas être entendus. Comment ces trois types de mobilisation font-ils progresser le développement des services de santé et des services sociaux en français, notamment depuis l'adoption de la législation sur les services en français ?

LES STRATÉGIES DES ACTEURS

Il existe des stratégies par lesquelles les acteurs cherchent soit à avoir une influence favorable sur le développement des services en français, soit à le bloquer. De façon plus précise, nous avons constaté que ces stratégies reposent sur un élément bien déterminé de la structure des « opportunités politiques », l'identification de personnes clés comme des élus ou des fonctionnaires pouvant servir de relais stratégiques. En effet, nos entretiens avec les acteurs nous ont permis de constater que leur influence reposait essentiellement sur leur capacité à se trouver des intermédiaires du milieu francophone. Dans ces conditions, la Loi est apparue comme un moyen favorable au développement de services en français uniquement si des personnes au sein de la structure des « opportunités politiques » agissent comme des relais stratégiques des revendications du groupe.

Les relais sont parfois des fonctionnaires francophones en qui l'on a investi tous ses espoirs et qui bénéficient d'un important pouvoir discrétionnaire, ou des élus qui semblent particulièrement ouverts aux revendications des francophones, ou encore un ex-fonctionnaire qui connaît bien les rouages du système, ou dont le tact exceptionnel permet d'aller chercher l'appui des anglophones. Ce sont parfois des individus dont le pouvoir d'influence peut aussi être important dans certains milieux. Nos entretiens révèlent que ce mécanisme existe aussi bien dans le domaine des services de la santé que dans celui des services sociaux, mais à des degrés d'intensité divers. Car les relais ne sont pas les mêmes d'un milieu à l'autre. Les résistances au développement des services en français ne sont pas les mêmes d'un milieu à l'autre également. Elles sont fortes dans le domaine de la santé, parfois en raison des CRS, mais aussi parce qu'il s'agit, selon plusieurs, d'un milieu traditionnellement francophobe, alors que la résistance dans le milieu des services sociaux est moins forte en grande partie à cause du pouvoir discrétionnaire des fonctionnaires qui peuvent en imposer aux récalcitrants ou favoriser la création de services en français parallèles.

Une personne travaillant dans le domaine de la santé nous explique son parcours.

> Nous avons commencé à regarder les soins de longue durée. On a vérifié combien ça coûtait. Alors, on était prêt à nous vendre des lits, 20 000 dollars par lit, et il avait un anglophone [derrière cela]. Il fallait attendre qu'il meure pour pouvoir être sûr d'avoir sa place. On avait fait une étude [...]. Vingt mille dollars par lit multiplié par 100 lits, plus acheter le bâtiment, plus, etc. Nous avons regardé ça en [nous disant] : jamais la communauté francophone n'aura les moyens et ne pourra acheter les lits. C'était en train de se fermer au niveau privé. Nous avions vu que la communauté japonaise avait réussi à négocier des lits pour sa communauté. On est allé voir les gens de Métro Toronto et ils nous ont donné 37 lits [...]. Nous avons donc maintenant un pavillon Omer-Deslauriers. Je ne dirai pas encore que le personnel est bilingue, mais on y travaille.

Dans le nord de l'Ontario, en l'occurrence, la fermeture du milieu anglophone au développement des services de santé en français a parfois exigé des stratégies moins élégantes de la part des responsables gouvernementaux. En parlant du ministère de la Santé, un répondant nous a expliqué que le ministère avait tout décidé afin d'imposer par le haut des services en français qui ne pouvaient pas être mis en œuvre par le bas. Ainsi, il raconte qu'un jour les représentants du ministère sont arrivés dans le milieu en expliquant : « Voici le "pote" d'argent avec le programme, pis c'est comme ça que ça va fonctionner. » Et d'ajouter : « La boîte était très anglophone [...], c'est venu du ministère la directive que les services devaient être bilingues. »

Les responsables d'autres ministères ont procédé de la même façon que leurs collègues du ministère de la Santé, pour les mêmes raisons. Selon un répondant, dans le cas des services intégrés dans le Nord, c'est aussi le ministère de l'Éducation qui a décidé. Le C.A. a été réduit à faire de la gestion, pas de la prise de décision : « La structure interministérielle a décidé que ce programme ici serait désigné bilingue pour les districts qui sont en désignation bilingue. »

Malgré sa nature dirigiste, les gens perçoivent cette approche comme un signe d'ouverture de la structure des « opportunités politiques » ou du gouvernement à leur égard. Un répondant nous explique que « [l]e ministre des Services sociaux et communautaires aurait créé toute une série d'organismes par discrétion ministérielle plutôt que par obligation légale ». D'autres exemples vont également dans ce sens : « le gouvernement était sympathique à la cause des femmes, et même si les groupes de femmes n'étaient pas prêts à offrir un service, l'argent était là [...] ». Et d'ajouter : « on devait avoir une approche féministe — celle-ci est obligatoire selon des directives du solliciteur général ». Bref, l'ouverture à l'égard des francophones est souvent perçue comme l'expression d'un mouvement qui s'est imposé d'en haut, comme l'exprime un autre répondant : « J'pense que c'est venu beaucoup plus du ministère parce que la boîte quand moi j'ai été embauchée [...] était très anglophone, très très anglophone. »

De surcroît, il y a lieu d'insister sur l'importance que prend cette approche fondée principalement sur l'action des fonctionnaires aux yeux des acteurs, notamment ceux du nord de l'Ontario qui se disent aux prises avec un mouvement comme l'APEC, dont les activités de lobbying auprès des pouvoirs publics semblent particulièrement importantes.

En plus des fonctionnaires francophones que l'on reconnaît comme des relais stratégiques importants dans le développement des services en français, les acteurs ont aussi insisté sur l'importance de certains élus ou de certaines personnes associés au milieu politique. Les personnes rencontrées s'identifient beaucoup à Bernard Grandmaître, qu'elles perçoivent comme le père de la *Loi sur les services en français.* Nostalgique, un répondant nous explique que « l'on devrait revenir à un époque plus glorieuse. Grandmaître et certains organismes étaient alors très près du premier ministre. Marc Godbout était président du Conseil de l'éducation franco-ontarienne (CEFO) [...] ».

Toutefois, ces personnes considèrent qu'en plus des élus qui peuvent jouer un rôle stratégique d'appui au développement des services en français, il faut aussi tenir compte de la façon dont les partis politiques ont, par le passé, décidé de l'orientation des services en français au sein de leurs programmes : « C'est le NPD en 1992 qui a décidé qu'il voulait faire des extensions aux services existants pour les femmes. Il y a eu une étude de besoins et cela a donné des services en français pour les survivantes [les victimes de violence] à Toronto. » Si le NPD est considéré ouvert aux préoccupations des femmes francophones, tous ne sont pas du même avis, pour ce qui est de sa compréhension des besoins du milieu francophone. Selon un répondant,

> [d]epuis que le NPD est arrivé au pouvoir — maintenant sous les conservateurs c'est probablement pire — les francophones sont des minorités parmi tant d'autres [...]. Ce qui veut dire que le critère c'est le nombre. Alors à ce moment-là on perd. On se fait toujours dire : vous ne rencontrez pas les critères.

Les personnes adhèrent plus spontanément à l'action du Parti libéral ontarien. Selon un répondant,

> il faut comprendre qui était au pouvoir quand les libéraux étaient là. C'était la classe moyenne de l'Est. Alors que [le] NPD, c'était les unions [syndicats]. Et on voyait la baisse de sensibilité pour les dossiers francophones. On voyait que c'était plutôt les dossiers de la femme. Il y avait aussi beaucoup à faire du côté multiculturel. Avec les conservateurs, c'est la classe d'affaires.

Par ailleurs, l'attitude des partis politiques à l'égard des francophones témoigne, selon plusieurs, d'un développement des services en français en Ontario impossible sans l'existence de la volonté politique :

> « Si les élus à l'époque ne l'avaient pas voulu, ce ne serait pas fait. La *Loi sur les services en français* [est une question de volonté politique]. La fonction publique est une fonction publique professionnelle, je veux dire : elle a donné suite à la volonté politique telle qu'exprimée. Il y a eu des fonctionnaires anglophones qui n'étaient pas d'accord avec la *Loi sur les services en français*, mais leur désaccord personnel [n'en] a pas empêché l'implantation. »
> « En 1985, le ministre Sweeny était prêt à imposer de façon non négligeable la présence des services en français pour tous les organismes de paiements de transfert, sans leur laisser le choix. Donc, on n'était même prêt avant l'entrée en vigueur de la *Loi 8* à imposer cette volonté politique. »
> « Moi, je crois que si on veut assurer le développement des services de santé en français en Ontario, il va falloir que le gouvernement intervienne directement. »

Jusqu'à présent, les personnes interviewées se sont assez bien accommodées de la situation, même si cette dernière n'a rien d'idéal. Elles favorisent le développement d'une structure corporative permettant aux différents acteurs de se concerter, de travailler ensemble, d'une part afin de mieux contourner les résistances des uns et des autres, mais également parce que, d'autre part, le développement des services en français a aussi donné lieu à une prise de conscience de l'importance de ces stratégies plus personnalisées au sein du milieu francophone. Ainsi les acteurs se donnent du pouvoir. À titre d'exemple, mentionnons la mise sur pied de structures intermédiaires entre les fonctionnaires et le milieu francophone afin de favoriser la synergie entre les premiers et les deuxièmes. Selon un répondant, « souvent on créait des tables où les gens qui participaient à la planification représentaient les organismes pourvoyeurs de services. Les directeurs généraux se rencontraient et étaient vraiment ceux qui recommandaient au ministère quoi faire au sein des communautés ». Toutefois, sans relais stratégiques, le développement des services de santé et des services sociaux aurait été plus difficile à réaliser. Cet élément de la structure des « opportunités politiques » se révèle déterminant avec la question de la volonté politique. Par conséquent, le processus par lequel les services en français sont rendus possibles révèle le rôle assez limité des acteurs du milieu.

La Loi sert d'appui à leurs revendications, mais ils ne peuvent s'en réclamer pour que se développent automatiquement des services en français. De plus, ils ne peuvent se percevoir comme des architectes des services en français que si, du même coup, ils reconnaissent que ces derniers nécessitent une mobilisation importante des personnes au haut de la hiérarchie des acteurs comme des fonctionnaires ou ex-fonctionnaires et des élus. Par surcroît, nous avons vu que la population n'est pas très présente dans ce processus, sauf pour certains groupes de femmes et l'ACFO, mais aussi l'APEC, qui vise à empêcher la mise en place des services en français. En bout de piste, la participation des acteurs du milieu au développement des services de santé et des services sociaux en français semble dépendante d'une dynamique fort hiérarchisée. Certes, l'ouverture de la structure des « opportunités politiques » leur a permis d'occuper une place au sein du processus politique mais celui-ci demeure hors de leur contrôle.

Chapitre 4
Organisation et avenir des services en français en Ontario

Enjeux et défis

L'organisation et l'avenir des services en français, en Ontario, sont deux questions qui préoccupent beaucoup les acteurs rencontrés. Non seulement ceux-ci revendiquent-ils des services de santé et des services sociaux en français, ils sont conscients aussi des enjeux que ces services sous-tendent. Doivent-ils être bilingues ou homogènes francophones ? Quelle place accorder aux minorités qui ne sont pas de souche canadienne-française dans le développement des services en français ? Quel type de services répond le mieux aux besoins des femmes ? Ces questions renvoient au cadre de représentation à partir duquel les acteurs évaluent la structure des « opportunités politiques » et leurs chances de succès. Elles reflètent aussi l'état du débat sur les services de santé et les services sociaux au sein du milieu francophone.

À cette étape-ci de notre travail, nous avons également accordé une attention particulière aux perceptions de la situation des utilisatrices des services de santé et des services sociaux. Nous avons tenté de voir à quel point celles-ci sont compatibles avec les perceptions des acteurs. Certes, nous avons eu des entretiens avec vingt-quatre femmes seulement. Ces dernières ne sont pas représentatives de l'ensemble du milieu francophone, tout comme les perceptions des acteurs ne sont probablement pas représentatives de l'ensemble de la dynamique de mise en œuvre des services en français. Malgré ces limites, il nous a semblé pertinent de présenter leur point de vue, afin de voir encore plus clairement le rôle privilégié des acteurs que nous avons rencontrés dans le développement des services en français.

SERVICES BILINGUES OU SERVICES HOMOGÈNES

L'opposition entre services bilingues et homogènes renvoie historiquement à une politisation intense au sein du milieu francophone, notamment dans le domaine de l'éducation où les francophones n'ont pas toujours voulu des écoles françaises. Derrière un tel débat, l'on considère naturellement que le bilinguisme constitue un premier pas vers l'assimilation des francophones. Pour Roger Bernard, le bilinguisme n'a pu que se développer au détriment de la culture canadienne-française/francophone, une thèse qui a reçu un appui de taille, en 1999, dans un jugement de la Cour divisionnaire de l'Ontario annulant la décision de la Commission de restructuration des soins de santé en Ontario de réduire les services à l'hôpital Montfort[137]. Sans aller jusqu'à dire que le bilinguisme mène inéluctablement à l'assimilation des francophones, Raymond Breton considère que, pour survivre et se reproduire dans le temps et dans l'espace, une communauté doit se doter d'un réseau de services et d'institutions parallèles le plus complet possible[138]. Gratien Allaire va plus loin et réclame que la mise en œuvre de la dualité linguistique au Canada soit fondée sur le principe d'institutions ou de services parallèles contrôlés par et pour les francophones[139]. Le sénateur Jean-Maurice Simard, dans son rapport choc sur la situation des minorités francophones hors Québec, formule le même souhait[140].

Force est de constater que le débat historique qui oppose les services bilingues aux services homogènes a été transposé dans les domaines de la santé et des services sociaux. Certes, les deux types de services sont des services en français, mais ils renvoient à des logiques différentes. D'une part, le service bilingue peut être dispensé par des anglophones, tandis que le service homogène doit être contrôlé par et pour les francophones. La majorité des professionnels francophones interviewés adhèrent à ce dernier modèle. Ils font preuve d'une grande méfiance à l'égard du service bilingue :

> « Je me suis toujours tenu à côté du modèle bilingue parce que bilingue, ça veut dire anglais [...], je connais les structures bilingues. »
> « Le bilinguisme c'est unilingue [...], c'est qu'indirectement on force les francophones à fonctionner en anglais. »
> « Dès qu'on rentre dans le bilinguisme, on rate le coup complètement [...]. Faut que ce soit administré, un conseil d'administration francophone. »
> « Quand tu es bilingue, c'est anglophone. Inclus le C.A. [...], les centres bilingues, moi, ça me fait toujours peur. La seule façon dont tu peux assurer de maintenir des services en français pour les francophones, c'est à travers des centres uniquement francophones. »
> « Si les services ne sont pas uniquement en français, ça a des inconvénients. Il faut le reconnaître. »

En d'autres mots, selon les professionnels, la dynamique du bilinguisme donne lieu à des situations complexes et difficiles. De plus, les personnes perçoivent le français dans les services bilingues comme une langue de traduction et non comme une langue à égalité avec l'anglais : « l'on a nos documents en français, il y a toujours des erreurs parce qu'ils ont été traduits. Mais ma superviseure est anglophone ». Selon plusieurs personnes, « d'avoir un service en français, c'était le plus grand pas à franchir, parce qu'on ne voulait pas d'un service traduit ou d'un service avec un visage français, mais avec un corps anglais et un cerveau anglais ».

Selon un autre répondant, dans les services bilingues, « la langue d'administration attendue de moi, c'est l'anglais ». Et d'ajouter : « c'est une approche très timide pour plaire aux anglophones [...] ». Transformer un service anglophone en service bilingue semble donc « très utopique » pour plusieurs. Pour une répondante, « on doit parfois *dealer* avec le *backlash* des résidentes. Dans le sens qu'elles disent "*why do people always speak French here* ?" ». Un autre nous raconte que « si on est à Hearst par exemple, 90 % de francophones donc, nos rencontres peuvent avoir lieu [dans les deux langues] ou en anglais-français dépendant des joueurs. Même chose à Kapuskasing ». Le contexte dans lequel se présente le bilinguisme joue un rôle important dans la capacité des francophones de maintenir la vitalité du français au sein de leur milieu. Toutefois, il est plus facile de favoriser le bilinguisme quand on vit dans un milieu franco-dominant plutôt qu'anglo-dominant.

Mais tous ne partagent pas le point de vue des tenants du service homogène. Plusieurs répondants considèrent que le service bilingue peut très bien correspondre aux besoins de la population francophone. Selon l'un d'eux, il

> n'est pas nécessaire d'avoir toute une agence de services de santé en français. Je pense que les francophones ont le droit de recevoir des services en français dans les agences où ils vont déjà. Avec la désignation, c'est clair ; il y a de l'affichage bilingue partout dans toutes les agences et le personnel est bilingue.

D'autres adoptent une attitude plus conciliante ou pragmatique :

> On met toujours l'accent sur le bilinguisme du service [...]. Même une directrice d'un petit organisme peut offrir personnellement des services en français si cette personne est bilingue. Le but, c'est de donner des services. Donc, si une agence ne veut pas ou ne peut pas présenter un plan de désignation, on va quand même l'encourager à offrir des services en français. Par exemple, l'unité sanitaire relève du conseil municipal et n'est pas influencée par la *Loi 8*, mais c'est quand même important que cette agence offre des services aux francophones.

Toutefois, dans l'ensemble, les personnes sont davantage préoccupées par la question du développement des services en français parallèles ou homogènes, dans les domaines de la santé et des services sociaux. L'arrivée des professionnels francophones dans ces domaines est peut-être un facteur permettant de mieux comprendre l'attitude plus critique des acteurs à l'égard du bilinguisme. À l'instar des enseignants à une autre époque, les professionnels de la santé ou des services sociaux revendiquent de plus en plus de services contrôlés par et pour les francophones.

Services bilingues ou services homogènes, qu'en pensent les utilisatrices ? Un décompte rapide de la langue utilisée par les femmes francophones, dans leur rapport aux services de santé ou aux services sociaux (qui présuppose la langue du professionnel), révèle une utilisation importante des services en anglais et une fréquentation des services en français quand cela se peut. Dans ces deux cas, il faut évidemment s'interroger sur les raisons présidant au choix de tel ou tel service et sur les obstacles de parcours.

Nous avons ainsi relevé systématiquement ce que nous ont dit les femmes sur la langue des praticiens et celle en usage dans les services qu'elles fréquentaient. Le tableau 3 (à la page suivante) résume leurs propos, mais ce dernier doit être lu avec prudence, car il ne représente pas tous les services requis par les femmes interviewées, mais seulement la mention qu'elles ont faite de la langue de service.

Selon une utilisatrice,

> [a]voir un médecin qui parle français est très important parce que, comme ça, on peut se comprendre plus vite. Je n'ai pas à chercher mes mots, je n'ai pas à réfléchir 20 000 fois [bien] que, quand je vais chez le médecin, je [sache] déjà ce que je vais cerner, ce que je vais dire [...], je sais ce qui est bon pour moi [parce que] moi je peux pas aller à la pharmacie et me le prescrire ou *whatever* [...], mais quand même je sais [...], j'utilise un francophone pour pouvoir m'aider plus vite.

Tableau 3
La langue utilisée lors de consultations

Langue	Profession	Timmins	Toronto	Cornwall	Ottawa	Total
Anglais	Médic. *	4	3	1	6	14
	Paraméd. **	0	0	0	0	0
	Serv. soc. ***	0	1	1	3	5
Français	Médic.	1	2	1	2	6
	Paraméd.	0	0	0	1	1
	Serv. soc.	0	1	0	0	1

* Profession médicale, incluant : médecin généraliste, spécialiste, dentiste, infirmière.

** Profession paramédicale : physiothérapeute.

*** Services sociaux : travailleur-se social-e, thérapeute, programme d'habileté parentale, groupe d'entraide.

La langue d'intervention est importante non seulement parce qu'elle permet d'aller plus vite, mais aussi parce qu'elle présuppose une meilleure compréhension du contexte de vie des personnes :

> [Je cherche] la qualité, que la personne soit compétente, qu'elle comprenne, tu sais, dans quel contexte de vie on vit, francophone dans un milieu majoritairement anglophone, pas d'avoir un traitement spécial, mais c'est juste l'idée que la personne à qui on a affaire [comprenne] les embûches par lesquelles on a passé pour avoir des services.

Par contre, la demande de service exclusif en français n'est pas exprimée par beaucoup de femmes. Elles parlent plutôt, comme l'une d'elles, de « langue de ton choix » :

> « Qu'ils [puissent] premièrement, je parle pas juste pour moi, être bilingues. C'est important qu'ils parlent les deux langues. »
> « La politesse [...], les deux langues [...]. C'est un plus parce que moi la manière que moi je vais, [j'utilise] les deux langues

> parce que si je ne trouve pas un mot en français, je le dis en anglais... Tout le monde devrait avoir ça. »
> « Je trouve que c'est important d'offrir des services bilingues, que ce soit accessible à toutes les personnes. Pas nécessairement [seulement] pour quelqu'un qui a un handicap physique, mais pour les gens qui sont immigrants, d'autres cultures [...]. Je préfère que mes services soient en français, mais si j'ai vraiment besoin de quelque chose, et que le seul endroit où ils l'offrent, est anglophone, alors je vais y aller. »
> « De la compréhension de sa part, du bilinguisme autant que possible parce que des douleurs, des sensations, des fois on peut l'expliquer en anglais, mais ce n'est pas tout à fait la même chose [...] ».

Les perceptions du bilinguisme par ces femmes semblent différentes de celles des acteurs. Toutefois, le sont-elles vraiment ? Pour les femmes, le bilinguisme signifie la capacité de s'exprimer et de se faire comprendre en français, quand elles le veulent, lorsqu'elles consultent un professionnel. Il faut remarquer également que le domaine de la santé plus que celui du soutien psychosocial semble poser problème. Comme le dit une autre femme : « Qu'on ait des spécialistes qui puissent au moins parler en français avec la clientèle francophone. » Le « bilinguisme », pris dans ce sens, est lié à la qualité requise pour un bon service : le respect, l'ouverture d'esprit, la tolérance de la différence. Parler français avec une patiente, c'est montrer qu'on l'écoute.

Le bilinguisme a aussi ses « angles » négatifs, ou du moins peu utiles à la femme qui consulte. La situation classique (et souvent répétée dans notre corpus) est la suivante :

> Mon médecin en fait parle un peu français, mais on se parle anglais parce que c'est plus facile pour elle. Parce qu'elle a toujours tellement de patients et que ça prend plus de temps quand on parle français, parce qu'elle cherche ses mots. C'est malheureux parce que c'est toujours ce qu'on fait, au fond.

Ou encore, plus grave :

> La travailleuse sociale en question était anglophone, parlait français de façon limitée. [...] Enfin, son rapport, en fin d'enquête, était en anglais, traduit en français. Mais quand j'ai reçu son rapport en français, il manquait des pages et ça n'avait ni queue ni tête. Il y avait des informations qui manquaient, qui étaient fausses et qui en gros étaient très biaisées en faveur de mon ex-mari [...].

Un tel épisode laisse voir que la qualité d'un service ou d'un professionnel est liée à la langue. La femme établit en effet le parallèle entre l'absence d'habileté linguistique, le processus de traduction par lequel est passé le rapport et les biais du rapport. Il devient difficile dans ce cas de dissocier qualité du service et langue de service.

Du point de vue des patientes, la question de la langue fait partie des nombreux obstacles à franchir dans le système des soins de santé ou des services sociaux. Elles nous ont également parlé du manque de continuité dans le personnel, des horaires peu pratiques, des listes d'attente et de la quantité de clients pour les praticiens francophones.

Les difficultés que les femmes ont à obtenir des services en français sont aussi intimement liées à des différences régionales. La situation de pauvreté des services et d'absence de choix est particulièrement relevée par les personnes de Timmins. Selon une répondante, les spécialistes ne « restent pas ici. Ça paie pas assez. Ils restent peut-être un an et, après ça, ils s'en retournent. On peut pas garder nos spécialistes ici, ça reste pas ». Ou encore :

> Quand j'ai repris mon counselling, je me souviens [de] lui avoir demandé [à l'intervenante] : « Combien de temps tu vas être ici ? » Je vérifiais parce que je me disais : ben, si je commence et que tu t'en vas dans six mois, j'aime autant ne pas te prendre comme *counsellor.*

Ces difficultés ont été soulignées : l'absence de centre d'accueil pour les jeunes francophones, le manque de services pour le cancer du sein, le manque de cours d'habileté parentale en français et l'absence de services de psychiatrie en français. La présence de services comme le Rape Crisis Centre, l'Association pour la santé mentale ou le counselling familial est appréciée, mais les listes d'attente, dans la plupart des services sociaux ou médicaux, sont à déplorer. Le choix du médecin de famille se fait souvent en fonction de la disponibilité, plutôt qu'en fonction d'un choix personnel de qualité de service ou de français. « La population de Timmins est de 47 000 à 50 000 et il y a 32 médecins de famille. Ça leur fait 1 500 patients à voir chacun, donc ils sont toujours au travail et tu attends toujours », dit une répondante.

De bien des façons, ce que nous ont dit les personnes à Cornwall ressemble à ce qui se passe à Timmins, et cela malgré la plus grande proximité d'un centre francophone aussi important que celui de la région d'Ottawa-Carleton. Les obstacles rencontrés pour accéder aux services en français sont souvent importants : « C'est pas si évident que ça de trouver des services en français ; c'est pas parce qu'ils existent pas, parfois oui, [...] Cornwall c'est moitié-moitié ; on est supposé d'avoir ces services là, mais comment les trouver, c'est pas si évident que ça... »

On y trouve aussi le phénomène des portes tournantes des professionnels : « Moi, j'ai perdu [mon médecin] parce qu'ils déménagent tous en dehors de Cornwall, [ce qui] fait qu'on change de médecin à peu près [à tous les] deux, trois ans ici. » Toutefois, le Centre de santé communautaire est connu par certaines patientes. Il est apprécié en particulier pour sa polyvalence. Par contre, les listes d'attente en découragent plus d'une. Et, dans d'autres services, en particulier psychosociaux, il semble qu'elles soient un obstacle pour accéder aux services. Une répondante mentionne les frais de garderie comme un obstacle important.

À Toronto, la rareté des services en français fait qu'il y a peu de choix pour celles qui veulent ou ne peuvent faire autrement que de parler en français. La présence du Centre médico-social communautaire, d'Oasis et du Centre pour femmes violentées semble tout de même être connue par les femmes. La plupart du temps cependant, l'accès aux services en français se fait individuellement, parce qu'une telle sait ou découvre que tel intervenant ou telle intervenante parle français. L'idée du réseau se révèle importante.

De façon générale, les répondantes d'Ottawa sont conscientes de leur « chance » d'avoir des services, tout d'abord, et des services en français ensuite. Les reproches faits au système de santé (surtout) sont en général d'ordre générique : impersonnalité et technicisation du rapport service-clientèle, absence de sensibilité à la diversité culturelle ou à l'orientation sexuelle, difficultés et erreurs dans les diagnostics cliniques, et planification aberrante de l'utilisation du personnel. Elles reconnaissent que les soins primaires et les services sociaux existent, mais beaucoup déplorent que les services spécialisés soient trop offerts en anglais. Une utilisatrice dont la petite fille a été opérée raconte :

> Le cardiologue ne parlait pas français. Le chirurgien a dit quelques mots en français, à peine. Moi, j'aurais aimé ça, pouvoir trouver quelqu'un qui parle français. Sauf que quand on arrive au niveau des spécialistes, c'est souvent beaucoup plus difficile [...] et même aux soins intensifs, moi, je trouvais ça très ironique, parce que l'infirmière qu'on lui avait assignée, elle parlait uniquement l'anglais et dans le lit d'à côté, la petite fille est anglophone et on lui avait assigné une infirmière francophone.

Les répondantes sont particulièrement sensibles aux difficultés rencontrées en temps de crise, puisqu'elles ont le sentiment qu'au quotidien, le maintien de leur santé est convenable. Ces temps de crise sont particulièrement dramatiques quand la santé d'un enfant est en jeu. Dans une telle situation, s'assurer un service en français pourrait devenir vite une bataille. Mais, comme le dit la mère que nous venons de citer :

> On ne penserait jamais assigner une infirmière unilingue francophone à un jeune anglophone... Mais c'est certain que quand on est dans l'engrenage, c'est pas là [qu']on va se mettre à chialer pour avoir des services en français. Ce qu'on veut, c'est avoir des bons soins pour l'enfant.

De toute évidence, le débat entre les services bilingues et les services homogènes ne permet pas de faire l'économie des difficultés décrites par les femmes rencontrées. Leurs perceptions de la situation des services de santé et des services sociaux en français laissent cependant apparaître des besoins importants à combler. Quel modèle sera le plus susceptible de les satisfaire ? Nous y reviendrons.

Le thème de la diversité culturelle

En plus des problèmes associés au manque de professionnels francophones pouvant travailler au sein des services en français, la gestion de l'offre et de la demande de services exige aussi que les acteurs tiennent compte des besoins des différentes composantes de la communauté francophone. Ainsi, l'offre et la demande de services obligent à prendre conscience des besoins spécifiques des femmes, des membres des minorités raciales et ethnoculturelles francophones, des personnes handicapées ou des peuples des Premières Nations. Ces préoccupations ne sont pas isolées du débat sur la langue dans la mesure où elles influencent les modalités de mise en œuvre des services ou la gestion de l'offre et de la demande. Toutefois, elles ne sont pas aussi structurantes que le débat entre les services bilingues et les services homogènes.

Les personnes travaillant avec les femmes sont particulièrement conscientes de l'importance de tenir compte de la diversité dans l'organisation des services. Les femmes appartiennent également à des minorités raciales francophones, comme l'explique un répondant :

> Les communautés immigrantes qui s'expriment en français, je crois qu'elles prennent de plus en plus d'importance. Je sais que chez nous dans les 52 % des femmes francophones que l'on dessert, il doit y en avoir au moins un tiers qui sont des femmes immigrantes... Alors, il faut être très conscient de ça. Il y a toujours un *mix* : des femmes francophones, des femmes immigrantes. Il peut y avoir des femmes avec un handicap.

De fait, plusieurs personnes insistent sur l'importance de tenir compte de la présence de groupes multiethniques dans l'ensemble du milieu francophone :

> [i]l faut tenir compte des différences ethniques. Si on [n'en] tient pas compte, on commence à faire de la ségrégation nous aussi, parce qu'il y a d'autres ethnies qui arrivent aussi et ces gens parlent français... on a beaucoup de Somaliens, d'Haïtiens, on a quelques Asiatiques. À un certain moment, on avait un médecin asiatique.

Un autre répondant constate que les utilisateurs sont « moitié-moitié [anglais-français], mais dans cette moitié-là, je retrouve des personnes qui ne sont pas de souche, leur langue maternelle n'est ni le français, ni l'anglais ».

Dans certaines régions où, selon un répondant, « [la] clientèle est très homogène, majoritairement canadienne-française, comme dans l'est de l'Ontario, l'on commence à avoir quelques Haïtiens et Haïtiennes ». En ce qui concerne Toronto, son multiculturalisme ne se conjugue pas uniquement en anglais. « À Toronto [...], on a des enfants de partout au monde, 20 % de notre clientèle. » Bref, pour une répondante, « c'est un défi pour le personnel d'apprendre toutes les spécificités des différentes cultures des nouveaux arrivés ».

En région, dans le Nord principalement, si le profil de la population oblige également à tenir compte de l'enjeu de la diversité culturelle dans la livraison des services, c'est la question autochtone qui ressort des préoccupations des acteurs :

> « Il y a des Italiens et des Chinois. Il y a les autochtones. Nous avons une travailleuse autochtone qui offre des services aux femmes autochtones. Nous avons déjà servi une famille chinoise. Puisque aucun membre ne parlait français, nous avons eu recours à un interprète. »
> « *One Native individual on my board. It is a good mix... And there are other ethnic communities. Italian is also big here in Timmins.* »
> « *And some of them are from Québec. But they don't identify themselves as being francophone and they don't necessarily identify themselves as Native... I mean some of them would prefer to be served in French because there's not a lot of Cree translations or translators here... you people in the rest of Canada better watch because within the next ten years we will have the largest growing population compare to any other ethnic or any other individual. Five years ago, if we had maybe 600 Natives we were lucky. Five years later we're talking close to over I bet you 6 000 Natives peoples. I'm sure that Native population now is probably close to 20 % of the population of Timmins.* »

La question de la diversité est principalement articulée en termes multiculturels et multinationaux. Elle est aussi caractérisée par d'autres préoccupations : les enfants, les personnes âgées et les adolescents.

Les professionnels, surtout ceux de Cornwall et de Timmins, font régulièrement référence à ces clientèles diverses, ce qui exige une polyvalence dans la livraison des services. De fait, des programmes seraient conçus en fonction de leurs besoins : « On vise la communauté francophone de toutes sources. Les aînés comme les enfants en bas âge, les adolescents. On vise toute cette clientèle-là, par différents programmes. » Dans le milieu des services aux aînées, force est de reconnaître, nous explique un répondant, qu'« [i]l y a beaucoup de femmes seules qui souvent se présentent avec des troubles d'anxiété, de dépression ». La situation des femmes âgées est particulièrement difficile. Selon un autre répondant, à Ottawa, la situation des femmes âgées francophones est précaire :

> Ici, c'est 72 % de femmes au centre de jour. Ce n'est pas des gens avec de gros revenus. La plupart n'ont pas pu profiter d'un plan de pension. Puis [ce sont] les mères de famille qui travaillaient pas encore dans ce temps-là, alors la répercussion de leurs états financiers sur la vie actuelle peut être pénible. Elles sont souvent dans un milieu où ça tire le diable par la queue : beaucoup de pauvreté, d'analphabétisme.

Il y a aussi la question des différences de revenus et d'éducation qui préoccupe les professionnels du milieu des services, notamment à Cornwall :

> « On avait quand même des objectifs à atteindre avec ces familles [défavorisées]. Si on veut l'impliquer dans la conception des programmes, dans le développement de son enfant, c'est la voie de communication, sans menacer et sans intimider le parent. »
> « Les gens les plus démunis sont les plus difficiles à rejoindre... On va aller rejoindre les gens qui ont le plus de difficultés et qui ne viennent pas nécessairement chercher nos services. »

Quel que soit le type de service en français, le respect de la diversité importe, mais ne donne pas lieu au même degré de politisation que le débat linguistique. Ces conclusions rejoignent celles de Geneviève Rail et de Susanne St-Pierre qui, en 1993, dans un rapport sur les facteurs déterminant la santé des francophones, insistent sur l'importance des services pour les femmes et les minorités raciales francophones[141]. Cela dit, il serait faux de penser que la question de la diversité est récente en Ontario français. L'on oublie trop souvent que la population francophone a toujours été stratifiée, qu'il existe des différences économiques importantes entre les francophones de la province, et que ces différences ont souvent servi à mobiliser le milieu[142]. Il existe également des différences culturelles depuis les débuts de l'immigration des Européens, en particulier dans le nord de la province. Le milieu francophone se perçoit trop souvent, à des fins politiques, comme une communauté homogène, ce qui a pour effet d'occulter les différences de classes, de cultures, de sexes et de races au sein du groupe. C'est le défi d'un groupe, dont la référence principale est la peur de disparaître, que d'apprendre à composer avec cette diversité[143].

LE SERVICE IDÉAL

L'adoption de la *Loi sur les services en français* a permis à bien des intervenants ou acteurs de rêver au service idéal dans les domaines de la santé et des services sociaux. Alors que, dans le domaine de l'éducation, les francophones revendiquent une éducation de qualité égale à celle que reçoivent les anglophones et qu'ils font des progrès importants en ce sens, la situation diffère dans les milieux de la santé et des services sociaux. La mise en place d'un modèle de services est advenue par défaut. L'absence de ressources a forcé les acteurs à faire preuve d'imagination et à penser à des modèles alternatifs, outre ceux que l'on trouve dans la société majoritaire. Ainsi est né un modèle polyvalent et multidisciplinaire de services adaptés aux besoins du milieu. De fait, à l'exception d'Ottawa, où il existe des services spécialisés, les répondantes et répondants expliquent généralement que leurs services de santé et services sociaux correspondent à des modèles polyvalents, multidisciplinaires. La plupart du temps, ce modèle a été mis sur pied dans les régions, parce qu'il sert à créer une sorte de service de guichet unique qui donne accès à des services spécialisés médicaux et sociaux. Il sert aussi à parer au manque de tradition de services publics et spécialisés en français, en Ontario. « C'est parce qu'il n'y a rien pour les francophones. Il a fallu toucher à tout. À Ottawa, on peut [aller] ici ou là. Nous autres, on ne peut pas. »

Toutefois, même s'il résulte d'un manque, le service multidisciplinaire répond à un besoin et, selon plusieurs répondants, il correspond à un modèle intéressant en milieu francophone. Il constitue une solution plus souple que le modèle classique du service individualisé, surtout dans les régions où tout est moins accessible. De fait, selon plusieurs, les soins primaires et multidisciplinaires sont devenus un modèle de base en milieu francophone, plus adapté au contexte. Ce service est également considéré par plusieurs comme un attrait supplémentaire pour la clientèle, notamment dans les villes où la population francophone est très dispersée : « Beaucoup de clients n'ont pas de famille [...] ; certains nouveaux arrivants ne veulent pas se regrouper avec [les gens] de leur pays d'origine, ils ont peur que les autres [parlent] d'eux dans leur communauté. »

Les répondants, quelle que soit la ville, conçoivent également les modèles de livraison des services comme un modèle communautaire. Celui-ci va souvent de pair avec le modèle multidisciplinaire, mais les deux ne sont pas identiques. Par contre, le modèle communautaire revêt de multiples définitions. Normalement, ce type de modèle résulte d'un choix de privilégier la participation du milieu à la gouvernance du service. Selon plusieurs, le modèle communautaire est également associé à la famille, en plus d'être un outil ou un moyen d'éducation populaire, de développement et d'enrichissement scolaire ; qu'il soit bilingue ou francophone, le service peut avoir ces caractéristiques :

> « Le centre idéal, c'est comme le nôtre, c'est une plus grande implication communautaire [...], le regroupement des gens en difficulté. »

« Nous nous décrivons comme un service communautaire, répondant à des besoins communautaires. Cependant, nous sommes identifiés comme un service institutionnel puisque nous sommes une création du milieu scolaire [...] ; au niveau procédural, nous tentons d'être le moins institutionnel possible. On n'a pas 50 papiers. »
« Le besoin féministe, collectif de contrer la violence d'une façon beaucoup plus communautaire, la responsabilité des gens, la responsabilité de la politique de rendre cet aspect-là public. »

En milieu francophone, l'existence d'un réseau social joue également un rôle important dans la livraison des services. Sans ce réseau, le service perd son ancrage dans le milieu. Cela s'applique surtout aux services féministes. Selon un répondant, « après leur séjour à la maison, les femmes tentent d'établir des réseaux entre elles. Ça fonctionne plus ou moins. Par exemple, certaines immigrantes prennent des cours de langue ensemble ». Dans d'autres cas, le réseau social, c'est un annuaire : « L'annuaire francophone, quand j'ai besoin de quelque chose, c'est vraiment ma base. » L'ancrage dans un réseau sert ainsi à offrir le service qui soit le plus approprié au milieu francophone :

Si on entend qu'il y a quelque chose de nouveau qui s'en vient, on va chercher [...], développer un réseau.
Les gens à l'Équipe sont impliqués dans toutes sortes de services communautaires. Tu ramènes d'autres connaissances dans ta communauté.
Il y a un engagement de la part des employés qui participent activement à la communauté.
On a été chanceux d'avoir de bonnes personnes comme des médecins, des directeurs, des gardes qui voulaient bien faire ou bien améliorer [les services].

Le service est aussi rendu possible par le bénévolat, notamment dans le domaine des services sociaux et des services destinés aux femmes :

> Je crois qu'on était sept bénévoles [...] en plus des femmes du comité provisoire [...]. On prenait les bouchées doubles. On faisait cadrer le travail à l'intérieur d'un mois. Maintenant, on a eu une deuxième formation [...], une dizaine de femmes de plus se sont ajoutées à l'Équipe.
> On a décidé que les bénévoles allaient faire de l'accompagnement à l'hôpital [...], les rencontres avec les femmes en crise.
> On veut mettre en place un service de « *buddy system* » où une survivante [victime de violence], qui est peut-être une bénévole (souvent ce sont des survivantes), est jumelée à quelqu'une qui entre en contact avec le service. Donc, simplement entrer en contact avec quelqu'une pour faire ce qu'on appelle un « *reality check* » [en période de crise].

De façon concomitante, nous avons demandé aux utilisatrices de définir le service qui correspondrait à leurs besoins et à ceux de leurs familles. Les femmes parlent d'un service de qualité, qui comprend un personnel à l'écoute de la personne en consultation, qui lui permet de dire ce qu'elle a à dire et, comme le dit l'une d'elles, qui ne « l'empêche pas de vivre ses sentiments ».

> La dernière fois, j'ai vu que le médecin avait une autre approche [...] : il commence à me parler, retourne en arrière, me demande comment ça va avec les enfants, et comme je lui parlais plus de stress que de problèmes d'ulcères d'estomac, alors [...] c'est comme s'il m'avait posé des questions qui m'ont aidée à dire si ça va bien ou mal, pourquoi je suis stressée à ce point [...]. Il m'avait écoutée, il avait pris le temps de me parler, il n'était pas trop pressé. On a besoin de ça, qu'un médecin puisse prendre du temps pour nous parler ainsi qu'une infirmière ou une travailleuse sociale.

Le temps nécessaire pour exprimer un besoin ou un malaise et une écoute soutenue constituent les premiers critères de qualité d'un service :

> La première qualité, c'est la qualité d'écoute. C'est de pouvoir cerner vraiment le besoin. Est-ce que je vais là parce que j'ai un besoin physique ou un besoin « psychologique », je ne sais pas trop comment le nommer. De ne pas sentir que, bon, je viens puis que c'est banal, mon histoire, même si j'ai mal au ventre puis qu'on trouve rien à mon mal de ventre [...] ; j'aime pas ça avoir l'impression de déranger. Ce que je déplore, c'est que les médecins nous *bookent* des rendez-vous collés un sur l'autre.
> Après mon opération, je voulais que N. soit contactée parce que le chirurgien appelle toujours quelqu'un [...] tout de suite après l'opération pour dire comment ça s'est passé. Puis je voulais que ce soit N., qu'elle soit admise aux soins intensifs parce que j'ai été là pendant 24 heures. C'est exigeant de s'affirmer dans des conditions où tu n'es pas [bien]...

Pour les femmes, le service de santé ou le service social idéal est également un service en français, mais pas toujours.

> « [Il est] difficile de trouver des spécialistes francophones et puis, tu sais, tu vas d'après le médecin qui t'envoie. Moi, d'habitude, je vais voir des francophones, mais s'il dit : "Tu sais, le meilleur c'est l'Anglais", tu vas à l'Anglais. »
> « J'apprécie que le service soit francophone, mais ma priorité, c'est un service qui peut répondre à mes besoins et [une personne] qui va prendre le temps de m'écouter [dit une jeune femme] ».

L'une des femmes, par exemple, exige pour son enfant, unilingue français, que le médecin soit francophone. L'autre apprécie que son mari, qui est anglophone, puisse aussi se faire suivre dans le centre où elle va. L'un des reproches récurrents chez les femmes concerne les heures d'ouverture des cabinets médicaux :

> Moi, un certain moment, je suis allée voir un francophone, un bon petit médecin ; la seule chose c'est que les fins de semaine il n'était pas [sur] appel. Je ne veux pas qu'il soit là 24 heures par jour, puis qu'il soit [sur] appel tout le temps, mais le soir puis

> les fins de semaine, si tu avais une urgence il fallait que tu ailles à l'hôpital ; je ne suis pas prête [à] aller à l'hôpital pour une urgence, quand tu « files » pas.

D'autres femmes ont choisi leur médecin en fonction de la proximité de leur cabinet.

Un service idéal présuppose une certaine stabilité dans le personnel, pour que la confiance (si importante dans la qualité de l'écoute) puisse naître entre intervenante et cliente, mais également le choix d'un service polyvalent. L'appréciation de tel ou tel service est fonction de la gamme de services proposés. La demande ou l'appréciation de services polyvalents offerts dans un même établissement émerge des réponses obtenues :

> J'aime beaucoup le Centre [où je vais]. C'est quand même une clinique assez complète. On peut faire des radiographies. On peut faire des prises de sang. On peut voir le médecin ou des spécialistes qui viennent à la clinique. Donc j'aime assez cet aspect-là et ne pas avoir à courir partout pour voir des spécialistes.

Bref, les femmes rencontrées décrivent davantage un type de relation souhaitée avec le médecin qu'un modèle de service précis. Elles insistent beaucoup sur l'importance d'un service de qualité, et il se peut fort bien que le modèle de service communautaire et multiculturel francophone corresponde à leurs attentes. Toutefois, comment font-elles entendre leur voix ? Étant donné que la dynamique de développement des services de santé et des services sociaux se veut très hiérarchisée, les femmes devront se mobiliser davantage afin de se faire entendre par les acteurs clés dans ces domaines.

L'avenir des services en français en Ontario

En 1995, l'arrivée au pouvoir des conservateurs a provoqué, en milieu francophone, une certaine conscience de la fragilité des services en français, en Ontario. Pourtant, au moment de sa campagne électorale, Mike Harris n'avait fait aucune déclaration importante contre les services en français. Il avait mené une campagne contre le gouvernement NPD et avait promis une « révolution du bon sens » qu'il associait à la réduction de l'intervention étatique dans le domaine public, la relance de l'économie par la réduction des impôts et des taxes, et l'assainissement moral de la province. Harris ne prévoyait pas de mesures spéciales à l'égard des francophones, car tout le monde devait se serrer la ceinture. Il ne donnait pas l'impression d'être opposé aux francophones.

Le gouvernement conservateur appliquera la législation de façon pragmatique. Il n'encourage pas, par ailleurs, le mouvement de fond au sein de la communauté en vue de sa plus grande autonomie sociale, culturelle et politique et de la reconnaissance du français comme une langue officielle en Ontario. En ce sens, M. Harris poursuit la tradition des conservateurs d'avant 1985, sans toutefois s'inscrire dans le même cadre de représentation politique et idéologique. Il revient à la tradition selon laquelle les services en français doivent être justifiés et offerts « là où c'est pratique », mais en fonction d'un projet de réduction plutôt que d'expansion du secteur public. Une telle logique, il nous semble, permet d'expliquer le refus du gouvernement conservateur, en décembre 1999, d'incorporer l'officialisation du français et de l'anglais comme langues de la nouvelle ville d'Ottawa dans sa Loi sur la fusion des municipalités de la région d'Ottawa-Carleton.

Qu'en disent les acteurs ? Nous leur avons demandé ce qu'ils pensaient de l'arrivée au pouvoir du Parti conservateur. Nous souhaitions comprendre davantage leur lecture de l'avenir des services en français, en Ontario, jumelée à leur perception de la structure des « opportunités politiques ».

Les propos des acteurs révèlent une très grande compréhension du rôle de la structure des « opportunités politiques » de leur part, et en particulier de la question de l'ouverture des politiciens à l'égard des services en français. La législation ne retient leur attention que pour dire que « l'avenir dépendra de l'ouverture des politiciens », bien que l'on ne décèle pas une très grande volonté politique du côté du gouvernement. « Je sais que Mike Harris n'est pas vraiment pour les services en français », nous dit un répondant. Selon plusieurs autres, l'arrivée au pouvoir du gouvernement de Mike Harris signifie que « les services unilingues francophones ne seront plus développés » :

> On nous dit : les services uniquement en français, non on n'en aura plus. On fait des choses bilingues. On donne l'argent aux anglophones pour leur faire « dégager » une personne en français. Toute la gestion se fait en anglais. Quelques services en français. À la rigueur, la *Loi 8* ne nous donne pas le *back-up* [...]. À l'époque, il y avait la volonté politique.

Toutefois, plusieurs répondants continuent d'insister sur l'importance des services unilingues homogènes, car ces derniers sont davantage contrôlés par les francophones que les services bilingues. Malgré l'écart des perceptions avec les utilisatrices de services à cet effet, le modèle communautaire homogène francophone, notamment dans le domaine de la santé, demeure le choix logique de plusieurs. Selon un répondant,

> [o]n a dit : on fait comme le fédéral, on va « bilinguiser » les hôpitaux, des services un peu partout, on ne fera pas de duplication. Si certains de nous n'ont plus d'argent, on va le faire ensemble. La réalité, c'est que maintenant, ça c'est en train de tomber à l'eau, parce qu'il y a des coupures partout. Les hôpitaux ont des syndicats. Ils sont obligés de faire des coupures, les postes des services en français sont en train de tomber. On avait l'option, à l'époque, de mettre un réseau de centres de santé

communautaire sur pied. On aurait pu le créer, on avait le pouvoir politique, on avait l'argent.

Toutefois, un autre nous explique que,

> [d]epuis Harris [...] la gestion de la désignation a été intense parce que les soins à domicile ne pouvaient pas être désignés comme tels à cause de l'argent qui vient des municipalités [...] ça faisait que les bureaux de santé ne sont pas « désignables » sous la Loi [...], les organismes qui ne reçoivent pas tout leur argent du ministère de la Santé ne sont pas désignés par la Loi [...] pour les services primaires, il n'y a pas de problèmes, les gens reçoivent leurs services en français.

Mais rien n'indique un plus grand engagement de la part du gouvernement à l'égard des services en français. L'on précise que l'on a enlevé aux fonctionnaires tout pouvoir discrétionnaire dans les domaines de la santé et des services sociaux, alors que bon nombre de services ont été rendus possibles par ce pouvoir :

> Lorsque les premières coupures sont venues, tout ce qui avait été discrétionnaire est disparu, que ça soit un service qui corresponde à un véritable besoin, qui avait eu un besoin historique, qu'on avait toujours maintenu parce qu'on avait toujours du financement pour le faire. Tout le discrétionnaire est disparu.

Certains se demandent si le gouvernement se sent engagé à mettre en place des services en français. Selon un répondant, « [c]'est peut-être là [qu']on retrouve les grandes inquiétudes des communautés francophones, à savoir s'il y a vraiment un engagement de la part du gouvernement au pouvoir actuellement ». De plus, un répondant précise que le mouvement de régionalisation des services de santé et des services sociaux va compliquer la vie des francophones :

> On va peut-être avoir quelques milliers de dollars ici et là pour faire des petits programmes. Mais pour structurer des choses, pour développer des programmes, on a besoin davantage d'argent qui va durer. Ça ne sera pas facile. À ce moment-là, on laisse les francophones entre les mains des pourvoyeurs régionaux.

La réforme des services de santé mentale constitue un autre exemple des difficultés qui s'annoncent en regard des services en français. Selon un répondant,

> [l]es services de garde francophones partout malheureusement ont été coupés. Ils ont dû fermer leurs portes. Ils ont dû dissoudre l'organisme. Il n'y aura pas de consultations à ce niveau-là [réforme des services de garde]. Ça va être une approche très directive, comme cela se produit avec les deux hôpitaux.
> Les services en français avec la refonte des services de santé [...], on va être tout éparpillés partout [...] ; il faut faire attention, en centralisant, de ne pas écraser tous les petits organismes.

À une petite échelle, ces exemples témoignent bien du nouveau cadre dans lequel opère le gouvernement. La restructuration des services sociaux et des services de santé donne lieu à un rétrécissement de l'espace dans lequel travaillent les acteurs, en plus de compliquer le débat sur la pertinence des services en français, en Ontario, comme bien public. La solidarité entre individus et groupes ne passe plus par la mise en place de services publics en français ou dans les deux langues officielles du Canada, notamment dans les domaines de la santé et des services sociaux.

Comment cette lecture de l'avenir des services en français va-t-elle influencer les stratégies des acteurs qui souhaitent, de toute évidence, continuer à développer des services en français, en Ontario? Comment les acteurs vont-ils donner un sens à leur action au moment où la structure des « opportunités politiques » se replie sur elle-même ?

Selon plusieurs personnes, l'arrivée au pouvoir du Parti conservateur les a obligées à réviser leurs attentes à l'égard de leur gouvernement provincial et à repenser leurs stratégies. Le nouveau cadre des politiques obligera les francophones à investir davantage les lieux du pouvoir local. Selon un répondant,

> [l]a restructuration des services sociaux, telle que documentée dans son plan d'activités, va nécessiter tout un effort pour repenser la planification au palier communautaire local au sein de toutes les communautés de l'Ontario. Là où les francophones sont absents de ces instances de planification, on aura sans doute [l'occasion] d'y participer, de redéfinir les priorités. Il n'y a aucune garantie que ce qui existe présentement va survivre.

Les francophones devront « être beaucoup plus présents dans la communauté avec des gens qui travaillent plus dans la communauté ».

Plus pessimiste, un autre répondant souligne que lorsqu'il « regarde certains transferts qui pourraient se faire aux municipalités, [il] pense qu'on va rétrograder tout ce pour quoi on a travaillé si fort pendant au moins 25-30 ans ».

Certains espèrent des partenariats entre groupes. « Les coupures actuelles forcent les agences francophones à Toronto à collaborer plus qu'avant. » D'ailleurs nous avons constaté une certaine convergence des propos des acteurs sur le sujet.

> « Il y a un nouvel esprit au sein de la communauté. On sent que les gens veulent travailler ensemble pour faire des choses. »
> « Pour le moment, on est tous en train de parler de services intégrés. Donc une chose qu'il faut que l'on établisse [...], c'est la collaboration réelle. Vous allez avoir celui qui va donner le premier soin, le deuxième soin, les troisième et quatrième soins.
> « On va recommencer ou mettre à jour cette planification communautaire partout en Ontario. Donc des tables de concertation où on aurait les consommateurs et les consommatrices de

> services, des représentants, des gestionnaires, c'est-à-dire les C.A. et non des D.G. qui exécutent normalement un plan de travail d'un C.A.
> « Il semble que le gouvernement est très sérieux lorsqu'il parle de partenariats interministériels [là] où cette planification et la gestion de ces grands réseaux de services ne se feraient plus dorénavant en vase clos. »

Pour d'autres, l'avènement du gouvernement conservateur permet de ramener le discours de la prise en charge des francophones par eux-mêmes dans le débat sur le développement des services en français :

> Je pense que si la communauté se prend en charge, si la communauté décide de se donner les moyens, il y a beaucoup d'avenir. Si on dépend des gouvernements, je pense qu'on va aller [à] notre propre mort. Les gouvernements ne sont pas là pour nous aider.

Les plus chauds militants continuent de miser sur l'éducation en français, notamment le projet d'une université francophone afin de créer une infrastructure dans le domaine des services en français. Ils se cherchent aussi de nouveaux héros :

> Ça prend quelqu'un avec de la gueule [...], quelqu'un qui a du poids, qui croit qu'il a du poids. Deuxièmement, ça prend un plan stratégique, un virage complet. Et c'est pourquoi ça prend un champion. La communauté est prête, est mûre, a vu des exemples à succès... Si on n'a pas de vision stratégique pour faire un coup de barre sérieux, on va reprendre le large et le bateau va couler.

Enfin, il y a aussi les personnes pessimistes, qui considèrent que peu importe le gouvernement au pouvoir, la communauté francophone est en perte de vitesse. Selon un répondant, « avec nos aînés meurt une partie de notre ferveur au niveau [de la] francophonie ». Un autre considère qu'à

« part la région de Prescott-Russell, les gens sont en train de s'assimiler [...], même avec une loi c'est une lutte constante [...], les centres bilingues, moi, ça me fait toujours peur ». De fait, il existe un certain consensus parmi les répondants, selon lequel la communauté francophone est menacée d'assimilation. Selon plusieurs personnes, il y a

> « une assimilation terrible. Je ne sais pas si mes petits-enfants vont vivre en français [...] ».
> « Sur 40 %, il y en a peut-être 25 % qui vivent en français [...] peut-être 15 % qui vivent la moitié de leur temps en français. »
> « Moi, je suis Franco-Ontarienne et je vis l'assimilation à tous les jours et j'ai des enfants qui sont francophones [...], les groupes sont menacés. J'ai vu La Cité collégiale fermer. J'ai vu la pouponnière fermer. »

Les quelques perceptions retenues n'épuisent pas la question de la transformation de la structure des « opportunités politiques » et du cadre de représentation dont le Parti conservateur s'inspire afin de gouverner la province. Mais les personnes rencontrées semblent toutes très conscientes qu'un changement a eu lieu. Force est de constater que Mike Harris n'est pas John Robarts. Le premier adhère au principe de l'égalité des provinces, alors que le deuxième a consacré une partie importante de sa carrière politique au rapprochement entre les francophones et les anglophones au pays, dans l'esprit de la Commission Laurendeau-Dunton.

L'absence d'engagement à l'égard du débat constitutionnel par le gouvernement conservateur depuis 1995 marque bien la fin d'une époque. L'Ontario, malgré sa prospérité, ne cherche plus explicitement à accommoder les groupes, notamment au sein de sa province. Une politique comme la législation sur les services en français permettait d'associer la question de la diversité à un bien public, alors que les transformations en cours ne permettent plus d'en débattre aussi librement.

Par ailleurs, le gouvernement conservateur n'est pas spontanément l'ennemi des francophones. La méfiance semble installée parmi les acteurs, parce que celui-ci a promis des compressions et une réduction importante des services publics. Les services en français font partie des services publics, et à ce titre ils n'échapperont pas au couperet du gouvernement. Toutefois, aussi fragiles soient-ils, les services en français font dorénavant partie du domaine public. À moins de privatiser l'ensemble du secteur public, le gouvernement conservateur ne peut complètement faire fi de ses obligations à l'égard des francophones de l'Ontario.

En pratique, la fermeture de la structure des « opportunités politiques » risque de rendre les possibilités d'alliances entre groupes, fonctionnaires ou élus francophones plus difficiles à réaliser. Pour cette raison, les personnes rencontrées considèrent que les francophones doivent se donner de nouveaux moyens de travailler ensemble, donnant en exemple l'idée des partenariats. Selon un répondant, « [l]a communauté, en partenariat avec le gouvernement, a créé de nouvelles structures corporatives-associatives en partenariat avec les bailleurs de fonds, que ce soit le fédéral, le provincial, ou l'interministériel ». L'exemple le plus souvent cité est le projet de l'école Guigues à Ottawa, présenté comme un modèle : « Le projet de l'école Guigues, c'est 4 millions, la communauté et les gouvernements fédéral, provincial et municipal, le privé pour 1 million [...], c'est un modèle pour le projet. » Les partenariats se font aussi avec des anglophones. Selon un répondant, « c'est eux qu'il faut prendre ». Et d'ajouter : « il y a certains organismes anglophones qui sont très ouverts ».

Bref, personne n'arrêtera de revendiquer des services en français malgré les difficultés du moment. La fermeture de la structure des « opportunités politiques » oblige les acteurs à repenser leurs stratégies d'action. Mais les choses ne s'arrêtent pas du fait que les gouvernements ont changé. Ainsi, tout porte à croire que les acteurs vont s'adapter au nouveau contexte politique et idéologique et tenter à nouveau de l'influencer en partant de nouvelles stratégies qui restent toutefois à définir.

Conclusion

Nous avons étudié, dans cet ouvrage, les conditions qui ont permis aux francophones d'influencer le développement des services en français dans les domaines de la santé et des services sociaux, en Ontario, de 1986 à 1996.

Si le contexte des années quatre-vingt était particulièrement ouvert ou réceptif aux revendications des francophones, il se referma peu à peu sur lui-même, en raison des déboires sur le plan constitutionnel canadien, des problèmes de déficit budgétaire des gouvernements et d'une politique de plus en plus disciplinaire à l'égard des mouvements sociaux.

Nous avons rappelé que la mise sur pied de la Commission royale d'enquête sur le bilinguisme et le biculturalisme, l'avènement du néonationalisme au Québec et les nombreux débats sur la citoyenneté au Canada ont constitué des dimensions institutionnelles servant à mieux comprendre l'ouverture de la structure des « opportunités politiques » à l'égard des francophones de l'Ontario. De plus, l'adoption, en 1969, de la *Loi sur les langues officielles* et l'inscription, en 1982, de la *Charte canadienne des droits et libertés* dans la Constitution canadienne ont joué un rôle dans le développement d'un ensemble de mesures favorables aux francophones de l'Ontario, notamment dans les domaines de l'éducation et des services gouvernementaux. Toutefois, il est vrai que les francophones de l'Ontario n'ont pas réussi à convaincre leur gouvernement d'adopter une législation visant à rendre officiel le français en Ontario.

Par ailleurs, nous avons également montré que, depuis le début des années quatre-vingt-dix, nous vivons un moment de transition important vers une nouvelle structure des « opportunités politiques », en Ontario comme dans le reste du Canada, moins ouverte à l'action des groupes, notamment dans le domaine des droits linguistiques. Nous assistons à la mise en place d'un nouveau cadre de perceptions de la situation dans lequel les groupes comme les francophones sont dorénavant considérés comme une sorte de groupe cible avec les féministes, les assistés sociaux et les *squiggies* ayant apparemment trop profité du système public. Certes, le gouvernement ontarien fait face à un certain héritage, dans le domaine des services en français qu'il ne pourra pas complètement liquider. Toutefois, il peut contourner la législation sur les services en français afin de ne pas avoir à s'y plier.

Cette étude a aussi permis de montrer que la législation sur les services en français n'a été que partiellement utile aux acteurs travaillant à la mise en œuvre et au développement des services en français. Selon ces derniers, la Loi n'a pas toujours eu le mordant qui permette aux groupes d'obtenir les services qu'ils réclamaient. Le mécanisme permettant aux acteurs d'obtenir des services en français est plus politique que législatif. L'importance du lobbying, du pouvoir discrétionnaire des fonctionnaires provinciaux, l'influence de certains élus et le tact des acteurs sur le terrain sont tous des éléments servant à expliquer l'influence des acteurs sur le développement des services en français. Par ailleurs, ces acteurs influents sont au haut de la hiérarchie alors que les autres détiennent plutôt un pouvoir de représentation des besoins des francophones.

Nous avons vu que pour la majorité des acteurs rencontrés, la législation a souvent davantage servi à financer et à franciser des services anglophones qu'à favoriser le développement de services en français. La mise en œuvre de la Loi a donné lieu à des désignations d'organismes anglophones destinés à offrir des services en français, alors que ces derniers n'ont pas le personnel compétent pour le faire. Pour certains, si les choses étaient à refaire, il faudrait probablement penser la Loi autrement.

L'étude a également permis d'amorcer un début d'analyse des différents enjeux propres à la mise en œuvre des services en français. Pour plusieurs, ces derniers doivent être francophones et multiculturels plutôt que bilingues, et enracinés dans la réalité du milieu communautaire plutôt que dans les institutions. Toutefois, les données ne permettent pas de déterminer de façon systématique comment la représentation que les acteurs se font des services en français a influencé la dynamique de leur mise en œuvre. Les acteurs travaillant dans le domaine de la santé souhaitent, malgré leurs difficultés, faire reconnaître l'idée de services homogènes francophones. De tels services existent déjà dans le domaine des services sociaux, notamment en raison du lien plus direct avec des fonctionnaires qui n'ont pas hésité à utiliser leur pouvoir discrétionnaire afin de créer des services francophones. Par contre, il se peut que la perte du pouvoir discrétionnaire dont bénéficiaient auparavant les fonctionnaires influence dorénavant la possibilité de création de services en français dans le domaine des services sociaux, alors que la situation est demeurée la même dans le milieu de la santé.

Dans un autre ordre d'idées, le débat entre services bilingues et services homogènes rappelle une dynamique semblable à celle qu'ont vécue les acteurs travaillant dans le domaine de l'éducation pendant les années soixante et soixante-dix. De la même façon, à l'époque, les francophones se sont demandé s'ils devaient privilégier des écoles homogènes françaises ou des institutions bilingues. L'adoption de l'article 23 de la *Charte canadienne* stipulant que les minorités de langues officielles au pays ont droit à une éducation dans leur langue maternelle a constitué une réponse au débat sans que les francophones le règlent complètement. L'on trouve de plus en plus d'enfants de langue maternelle française qui fréquentent les écoles de langue française homogènes, mais il est toujours possible aux parents francophones d'envoyer leurs enfants dans d'autres types d'école[144].

Serons-nous témoins de la même situation dans le domaine des services de santé et des services sociaux ? Le milieu associatif francophone commence à peine à se saisir de la question, comparativement à celle de l'éducation qui le mobilise depuis le tournant du siècle. Revendiquera-t-il une disposition constitutionnelle et un droit constitutionnel à des services en français dans les domaines de la santé et des services sociaux[145] ? Le domaine de la santé étant de plus en plus important pour l'ensemble des Canadiennes et des Canadiens et de plus en plus débattu dans les milieux minoritaires en Ontario comme dans les groupes anglophones du Québec, il se peut bien que l'on assiste, dans les années à venir, à une poussée plus importante du militantisme des groupes minoritaires dans le domaine de la santé.

En 1997, la décision de la Commission de restructuration des services de santé en Ontario de fermer l'hôpital Montfort à Vanier semble avoir servi de catalyseur à ce mouvement. Elle a donné lieu au groupe S.O.S. Montfort, qui milite activement depuis 1997 en vue de maintenir ouvert l'hôpital Montfort. Ce nouveau mouvement est aussi à l'origine d'un autre groupe, Opération Constitution, constitué de juristes déterminés à pousser le gouvernement ontarien à demander au gouvernement fédéral d'inscrire les droits des francophones de la province dans la Constitution du pays. En ce sens, même s'il est peu probable que le premier ministre de l'Ontario adhère à la philosophie du mouvement Opération Constitution, il se peut, par ailleurs, que la pression de ce dernier ainsi que du groupe S.O.S. Montfort force le gouvernement fédéral à intervenir davantage dans le domaine de la santé en milieu minoritaire francophone. Certes, il s'agit d'un domaine de compétence provinciale, mais cela n'a jamais empêché le gouvernement fédéral d'utiliser son pouvoir de dépenser afin d'intervenir dans des domaines qui ne relèvent pas de sa juridiction.

Pour terminer, nous aimerions revenir à la théorie des mouvements sociaux et à la question de l'influence des groupes sur le changement social. Nous avons tenté de suivre le plus possible les étapes proposées par M. Guigni. Nous avons étudié le contexte politique et la structure des « opportunités politiques », de même que nous avons rencontré un large éventail d'acteurs. Nous avons également tenté d'analyser le processus par lequel les acteurs participent au développement des services en français. Toutefois, nous n'avons pu réaliser, faute de temps, le travail de comparaison que suggère M. Guigni afin de rendre plus crédible l'étude d'un groupe donné. Dans des travaux ultérieurs, il devrait être possible, voire souhaitable, de comparer l'action des francophones de l'Ontario à celle des Acadiens du Nouveau-Brunswick ou à celle des Franco-Manitobains. Les francophones de l'Ontario bénéficient, à l'instar des Acadiens du Nouveau-Brunswick, d'un régime de droits linguistiques de plus en plus complet. Ils ressemblent davantage aux Franco-Manitobains sur le plan politique. Les Acadiens du Nouveau-Brunswick sont très présents dans les structures politiques de la province alors que les francophones de l'Ontario le sont beaucoup moins. Ils doivent faire davantage appel à leur pouvoir de lobbying et trouver des relais stratégiques, comme nous l'avons vu dans cette étude.

De plus, en ce qui concerne la question de l'étude dynamique des liens entre les acteurs et l'influence dont ils se réclament, il nous semble que notre étude se situe tout de même à un stade assez général d'analyse. Nous avons été en mesure d'identifier un mécanisme important pour comprendre l'influence des acteurs, mais un travail plus microsociologique reste à entreprendre. Notre étude ne constitue que le début d'un chantier plus important. Dans tous les domaines, il faudrait proposer des études plus précises et détaillées des conditions sous lesquelles les francophones réussissent à participer au changement en Ontario, et ce, depuis l'époque du Règlement XVII. Nous espérons avoir posé les jalons en vue d'un tel travail, tout en étant consciente que le nôtre était loin d'être exhaustif.

À la question « Le développement des services en français en Ontario constitue-t-il un phénomène à court ou à long terme ? », répondons brièvement que l'attitude du gouvernement conservateur permet d'affirmer que les changements vécus par les francophones depuis les années quatre-vingt en Ontario ne seront peut-être pas durables. S'ils ont été positifs, jusqu'en 1995, il se pourrait bien, cela reste à démontrer, que la fermeture de la structure des « opportunités politiques » à leurs revendications donne lieu à un ressac important à leur égard. Ces préoccupations rejoignent également celles d'E. Amenta et de M.P. Young, pour qui l'influence d'un groupe peut également être négative et non uniquement positive.

Quant à l'apport des changements institutionnels dans le domaine des droits linguistiques à la démocratie, il est indéniable qu'en créant un contexte favorable au développement des services en français, le gouvernement a rendu possible une plus grande participation des francophones à la vie publique ontarienne. L'adoption de la législation sur les services en français peut avoir contribué à l'élargissement de la démocratie en Ontario. Cependant, nous avons vu que les difficultés exprimées par les acteurs engagés dans le développement des services en français laissent présager que l'ouverture démocratique à leur égard sera assez limitée.

Pour terminer, nous aimerions insister sur l'importance d'étudier le rôle des acteurs par rapport aux organisations du milieu. Tant M. Guigni qu'E. Amenta et M.P. Young ont insisté sur cette question, et il nous semble qu'ils ont eu raison de le faire. Notre étude a révélé que les organisations du milieu, selon les acteurs rencontrés, ont été relativement peu présentes dans la mise en œuvre et le développement des services en français dans les domaines de la santé et des services sociaux. Les acteurs ont mentionné l'action de certaines associations régionales de l'ACFO et de certains groupes de femmes, mais il nous est impossible d'affirmer que c'est le réseau associatif de francophones qui a rendu possibles les services en français. Certes, au début de la mise en œuvre de la législation sur les services en français, il a facilité la rencontre et la concertation des différents acteurs. Par contre, s'il s'est fait le porte-parole du développement des services en français, en Ontario, ces derniers ne relèvent pas toujours de son intervention sur le terrain. En ce sens, notre analyse confirme les préoccupations d'E. Amenta et de M.P. Young selon lesquelles il faut toujours effectuer une distinction entre les leaders d'organisation et ceux qu'ils sont censés représenter lorsqu'on étudie leur impact sur le changement. Selon eux, que les premiers aient accès au milieu politique ne constitue pas en soi une victoire pour le groupe et un signe qu'ils orientent le changement.

Les organisations peuvent facilement récupérer à leur compte les bénéfices octroyés à leurs membres, manœuvre en Ontario que les chercheurs ont souvent contribué à renforcer en raison de leur attitude volontaire et leur parti pris selon lequel le dynamisme d'une communauté repose sur la capacité de mobilisation de ses groupes. Il faudra revenir sur ce genre d'analyse, car elle ne correspond ni aux perceptions des acteurs rencontrés, ni à la réalité objective à laquelle nous avons été confrontée. Question qui doit aussi être reprise dans l'autre sens. Le très grand pouvoir de mobilisation que les groupes de la droite extrême attribuent au milieu associatif francophone crée la fausse impression qu'ils contrôlent le processus de formulation des politiques, remettant ainsi en cause la capacité de gouverner des gouvernements. C'est, en partie, ce que Leslie Pal a tenté de montrer dans son livre *Interest of State*[146], alors que la situation sur le terrain est tout autre. Ce type de perception crée des polarisations peu fécondes pour le dialogue entre les groupes et les peuples et sert à nourrir les formations dont les propos sont peu amènes à l'égard des francophones de l'ensemble du pays.

Enfin, il y a une dernière question sur laquelle nous souhaitons revenir : avons-nous échappé au volontarisme ou au parti pris idéologique des chercheurs de la francophonie ontarienne ? Si nous n'avons pas tenu pour acquis le dynamisme du milieu, nous reconnaissons que notre engagement à l'égard des groupes pour lesquels nous avons réalisé ce travail est indéniable. Nous avons à cœur le développement des services en français, en Ontario. Toutefois, notre étude se veut plus qu'un ensemble de propos stratégiques visant à donner plus de force de frappe à des groupes ou à des acteurs. Nous avons tenté de réaliser principalement un travail de réflexion et d'analyse. Cette recherche nous a permis de prendre une saine distance par rapport à une pratique qui s'est voulue tant la nôtre que celle des acteurs du milieu, afin de la soumettre constamment à la rigueur de l'analyse critique et scientifique.

Notes
Introduction

1 En plus de dix ans d'existence, la *Loi sur les services en français* n'a pas encore été véritablement étudiée. Elle n'a même pas fait l'objet d'une évaluation systématique de la part du gouvernement ontarien. La nouvelle législation a surtout été l'objet de commentaires de la part de juristes, de journalistes et de politiciens. A-t-elle servi de levier aux acteurs du milieu afin de faciliter le développement des services en français ? Le bilan reste à faire. Voir Mireille Duguay, « La *Loi de 1986 sur les services en français*, du manifeste au symbolique », Université d'Ottawa, département de science politique, 1991, thèse de maîtrise non publiée ; Jacqueline Lalonde, « La minorité franco-ontarienne et la mise en œuvre de la *Loi de 1986 sur les services en français* », Université d'Ottawa, département de sociologie, 1996, thèse de maîtrise non publiée.

2 Jean Pichette, « Harris inquiète les francophones ontariens », *Le Devoir*, les 13 et 14 janvier 1996, p. A1-A12.

3 Pour plus de détails, voir la très bonne introduction à la sociologie des mouvements sociaux de Donatella Della Porta et Mario Diani, *Social Movements. An Introduction*, London, Blackwell, 1999. Il n'existe pas d'introduction semblable à l'étude des mouvements sociaux au Canada et au Québec. Voir l'article synthèse de Susan D. Phillips, « *Social Movements in Canadian Politics. Past Their Apex ?* », dans James Bickerton et Alain-G. Gagnon (dir.), *Canadian Politics*, Peterborough, Broadview Press, 3e édition, 1999, p. 371-391.

4 Edwin Amenta et Michael P. Young, « *Making an Impact : Conceptual and Methodological Implications of the Collective Goods Criterion* », dans Marco Guini, Doug McAdam et Charles Tilly (dir.), *Why Social Movements Matter*, Minneapolis, University of Minnesota Press, 1999, p. 41.

5 Fondée en 1991, la TFFCPO est une tribune dont le mandat principal est la concertation entre groupes et l'action politique. Elle est féministe car elle agit en vue d'une société juste, saine et équitable qui reconnaît les expériences et les valeurs de toutes les femmes, leur diversité, leurs spécificités, et qui lutte contre toutes les formes de discrimination. La Table vise la concertation et l'action politique, car elle est un lieu où des groupes, d'un commun accord, échangent leurs connaissances dans la diversité, se solida-

risent et développent des stratégies de revendications, de pressions et d'interventions politiques. La Table est provinciale car elle est constituée de groupes œuvrant en Ontario français, et son action a aussi une portée nationale et internationale.

6 Pour plus de détails, voir Caroline Andrew *et al.*, *Les conditions de possibilités des services de santé et des services sociaux en français en Ontario : un enjeu pour les femmes*, Ottawa, TFFCPO, 1997 ; pour une synthèse de l'étude, voir Lyne Bouchard et Linda Cardinal, « Les conditions de possibilités des services de santé et des services sociaux en français en Ontario : un enjeu pour les femmes », *Reflets*, automne 2000, vol. 6, nº 2, p. 111-125.

Chapitre 1

7 Ces données, valables pour l'année 1999, sont tirées du document *Le Canada en statistiques* de Statistique Canada (http://www.statcan.ca/francais/Pgdb/People/popula_f.htm#dem).

8 Pour plus de détails, voir Jean-François Cardin et Claude Couture, *Histoire du Canada. Espace et différences*, Sainte-Foy, PUL, 1996.

9 Ces données, tirées du recensement de 1996, proviennent de l'*Atlas de la francophonie* (http://franco.ca/atlas/francophonie/francais/impre.cfm?Id=8). Pour un profil statistique de la minorité francophone de l'Ontario, voir Charles Castonguay, « Évolution démographique des Franco-Ontariens entre 1971 et 1991 », dans Normand Labrie et Gilles Forlot (dir.), *L'enjeu de la langue en Ontario français*, Sudbury, Prise de parole, 1999, p. 15-32.

10 Données tirées du recensement de 1996, *Atlas de la francophonie*, adresse Internet citée.

11 Données tirées du recensement de 1996, Statistique Canada, adresse Internet citée.

12 *Ibid.*

13 Voir *Une histoire de deux mondes. Tendances économiques et sociodémographiques à Ottawa-Carleton*, Ottawa, CPSOC, 1999.

14 Données tirées du recensement de 1996 de Statistique Canada, adresse Internet citée.

15 *Ibid.*

16 Données tirées du recensement de 1996, Office des affaires francophones, *Les francophones en Ontario. Profil statistique*, Toronto, 1996. Il est utile de noter que près de deux Franco-Ontariens sur trois (65,7 %) sont nés en Ontario, alors que 28,8 % d'entre eux proviennent d'autres régions du Canada.

17 *Francophonie ontarienne : l'Ontario français dans toute sa diversité ethnoculturelle et des minorités raciales au fait français en Ontario* (http://franco.on.ca/).

18 *Ibid.* De façon plus précise, l'Office des affaires francophones soutient que les principales origines ethniques représentées au sein de la communauté francophone de l'Ontario (pour lesquelles on trouve plus de 1 000 personnes de la même origine) sont, en ordre croissant : le Liban, Haïti, les États-Unis, l'Afrique du Nord, les autres pays d'Afrique, et la France (y compris l'île Saint-Pierre-et-Miquelon).

19 Les données qui suivent, sur les taux d'anglicisation, sont tirées de l'analyse de Charles Castonguay, « *Getting the facts straight on French : Reflections Following the 1996 Census* », *Inroads*, nº 8, 1999, p. 57-77.

20 Charles Castonguay, « L'intérêt particulier de la démographie pour le fait français au Canada », dans Jürgen Erfurt (dir.), *De la polyphonie à la symphonie. Méthodes, théories et faits de la recherche pluridisciplinaire sur le français au Canada*, Leipzig, Leipziger Universitätsverlag, 1996, p. 5.

21 Pour plus de détails, voir Anne Gilbert, *Espaces franco-ontariens*, Ottawa, Le Nordir, 1999.

22 ACFO, *Urgence d'agir. Nous sommes, nous serons. Mémoire sur la vitalité de notre communauté francophone et de son érosion par l'assimilation*, Toronto, 2000, p. 15.

23 Danielle Juteau, « Français, Français d'Amérique, Canadiens, Canadiens français, Franco-Ontariens, Ontarois : qui sommes-nous ? », dans *L'ethnicité et ses frontières*, Montréal, PUM, 1999, p. 39-60.

24 Pour plus de détails, voir Marcel Martel avec la collaboration de Robert Choquette, *Les États généraux du Canada français. Trente ans après*, Ottawa, CRCCF, 1998.

25 Pour un court historique des relations entre les Québécois et les Franco-Ontariens, voir Pierre Savard, « Relations avec le Québec », dans Cornelius Jaenen (dir.), *Les Franco-Ontariens*, Ottawa, PUO, 1993, p. 231-263 ; voir également Fernand Harvey, *La politique à l'égard des communautés francophones minoritaires du Canada*, inédit.

26 Pour plus de détails, voir Paul-François Sylvestre, « La culture en Ontario français : du cri identitaire à la passion de l'excellence », dans Joseph Yvon Thériault (dir.), *Francophonies minoritaires au Canada. Un état des lieux*, Moncton, Les Éditions d'Acadie, 1999, p. 538-541.

27 Voir Rachid Baragoui et Donald Dennie, « Le développement économique communautaire : nouveau départ pour le mouvement associatif ontarien », *Reflets*, printemps 1999, vol. 5, n° 1, p. 81.

28 Voir Donald Dennie, « La politique ontarienne et les Franco-Ontariens », dans Joseph Yvon Thériault (dir.), *op. cit.*, p. 375.

29 Voir Linda Cardinal, « Des femmes d'action : l'autre histoire de l'Ontario français, de 1969 à 1982 », dans Monique Hébert, Nathalie Kermoal et Phyllis Leblanc (dir.), *Entre le quotidien et la politique. Facettes de l'histoire des femmes francophones en milieu minoritaire*, Ottawa, RNAÉF, 1998, p. 178.

30 Cette donnée est tirée du document de l'Office des affaires francophones, *op.cit.*, p. 8.

31 Une lecture des débats de l'époque révèle que les Franco-Ontariens ne sont pas l'objet de longues discussions entre les Pères de la Confédération. La question ne retient que très peu leur attention. Pour plus de détails, voir l'ouvrage de Janet Ajzenstat *et al.* (dir.), *Canada's Founding Debates*, Toronto, Stoddart, 1999.

32 Les fameuses ententes Canada-communautés découlent de l'application de la partie VII de la Loi.

33 Parmi les livres sur les francophones de l'Ontario publiés pendant les années quatre-vingt et quatre-vingt-dix, mentionnons ceux-ci : en 1993, *Aux origines de l'identité franco-ontarienne. Éducation, culture et économie* de Chad Gaffield ; *Les Franco-Ontariens*, Cornelius Jaenen (dir.) ; en 1995, *La francophonie ontarienne : bilan et perspectives de recherche*, Jacques Cotnam, Yves Frenette et Agnès Whitfield (dir.) ; en 1997, *Le deuil d'un pays imaginé* de Marcel Martel, sur les relations entre le Québec et les Franco-Ontariens ; *Les artisans de la modernité* de Diane Farmer, sur l'histoire des centres culturels francophones en Ontario. Enfin, en 1999, *Espaces franco-ontariens* d'Anne Gilbert, *Le Canada français : entre mythe et utopie* de Roger Bernard et *Coloniser et enseigner. Le rôle du clergé et la contribution des Sœurs de Notre-Dame du Perpétuel Secours à Hearst 1917-1942*, de Danielle Coulombe. De toute évidence, le milieu de la recherche sur les francophones de l'Ontario se porte bien. Voir la bibliographie pour les références complètes des ouvrages susmentionnés.

34 Pour une synthèse de la question, voir Linda Cardinal, « La vie politique et les francophones hors Québec », dans Joseph Yvon Thériault (dir), *op.cit.*, p. 325-343.

35 Gaétan Gervais, « L'histoire de l'Ontario français (1610-1997) », dans Joseph Yvon Thériault, *op.cit.*, p. 146 ; voir aussi « L'Ontario

français, 1821-1910 », dans Cornelius Jaenen (dir.), *op. cit.*, p. 49-125. L'on trouve également des références pertinentes aux francophones de l'Ontario dans la récente synthèse de l'histoire du Canada réalisée par Yves Frenette, *Brève histoire du Canada français*, Montréal, Boréal, 1998 ; Jean-François Cardin et Claude Couture, *op. cit.* ; Jacques Paul Couturier *et al.*, *Un passé composé. Le Canada de 1850 à nos jours*, Moncton, Éditions de l'Acadie, 1996.

36 D. Juteau, art. cité.

37 Raymond Breton, « *Institutional Completedness of Ethnic Communities and Personal Relation of Immigrants* », *American Journal of Sociology*, vol. 70, p. 193-205.

38 Pour une synthèse de la question, voir Charles Castonguay, note 20.

39 Pour un bon exemple de cette démarche, voir le récent ouvrage de Normand Labrie et Gilles Forlot (dir.), *L'enjeu de la langue en Ontario français*, Sudbury, Prise de parole, 1999.

40 Françoise Boudreault, « La francophonie ontarienne au passé, au présent et au futur : bilan sociologique », dans Jacques Cotnam, Yves Frenette et Agnès Whitfield (dir.), *op. cit.*, p. 19.

41 Ce discours n'est pas à confondre avec le discours gouvernemental et associatif selon lequel les francophones hors Québec sont bien en vie et les mauvaises langues parleraient seules de leurs difficultés. La récupération d'un certain discours sur le dynamisme des communautés minoritaires francophones par le milieu gouvernemental et associatif a donné lieu, en 1998, à des commentaires aussi ridicules que faux de la part de la ministre du Patrimoine canadien, pour qui les francophones hors Québec n'avaient pas de problèmes d'assimilation au Canada, mais d'américanisation. Les chercheurs de la francophonie hors Québec auraient-ils été de mauvais prophètes ?

À force de tenir les mêmes propos que la ministre du Patrimoine canadien, certains leaders du réseau associatif devraient comprendre qu'ils tiennent un double langage. Publiquement, dans le cadre de manifestations organisées par le gouvernement fédéral et devant le gouvernement québécois, ces derniers sortent leur discours sur le dynamisme de leurs communautés, alors que devant les fonctionnaires fédéraux, ils font le pied de grue, souvent indignés, pour quémander davantage de ressources, étant bien conscients que leurs communautés ne pourront pas survivre aux ravages de l'assimilation. Il faudra un jour faire la lumière sur cette question et tenter de proposer un portrait à froid du milieu minoritaire, pour ne rien dire des mêmes efforts qui devraient être consacrés à dresser un tableau un peu plus réaliste de la situation des anglophones du Québec. Pour un début d'analyse de la situation, voir le fameux rapport du sénateur Jean-Maurice Simard, *De la coupe aux lèvres : un coup de cœur se fait attendre. Le développement et l'épanouissement des communautés francophones et acadiennes : une responsabilité fondamentale du Canada*, Ottawa, Le Sénat, 1999.

42 Fernand Ouellet, « L'évolution de la présence francophone en Ontario : une perspective économique et sociale », dans Cornelius Jaenen (dir.), *op. cit.*, p. 127-128.

43 *Ibid.*, p. 127.

44 Marco Guigni, Doug McAdam et Charles Tilly (dir.), *Why Social Movements Matter*, Minneapolis, University of Minnesota Press, 1999.

45 M. Guigni, « *Introduction. How Social Movements Matter : Past Research, Present Problems, Future Developments* », dans Marco Guigni, Doug McAdam et Charles Tilly (dir.), *op. cit.*, p. xxv.

46 Cette expression a été traduite directement de l'anglais *political opportunity structure*. La traduction renferme l'anglicisme « opportunités », mais il semble que l'expression soit d'usage.

47 Edwin Amenta et Michael P. Young, « *Making an Impact : Conceptual and Methodological Implications of the Collective Goods Criterion* », dans Marco Guigni, Doug McAdam et Charles Tilly (dir.), *op. cit.*, p. 36.

48 Notre traduction libre de l'anglais pour parler de « *collective goods criterion* », une expression que E. Amenta et M.P. Young empruntent à la théorie du choix rationnel.

49 E. Amenta et M.P. Young, art. cité, p. 31-32.

50 Cette définition est tirée d'Érik Neveu, *Sociologie des mouvements sociaux*, Paris, La Découverte, 1996, p. 100.

51 Pour plus de détails, voir Theda Skocpol, « *Bringing the State Back In : Strategies of Analysis in Current Research* », dans Peter B. Evans, Dietrich Rueschmeyer et Theda Skocpol (dir.), Cambridge, Cambridge University Press, 1985, p. 3-37 ; de T. Skocpol, voir aussi « Formation de l'État et politiques sociales américaines », *Actes de la recherche en sciences sociales*, n°s 96-97, 1993, p. 21-37 et *Protecting Mothers and Soldiers*, Cambridge, Massachusetts, Harvard University Press, 1994.

52 À cet effet, voir également Paul Burnstein, « *Social Movements and Public Policy* », dans Marco Guigni, Doug McAdam et Charles Tilly (dir.), *op. cit.*, p. 3-22.

53 Miriam Smith, *Lesbian and Gay Rights in Canada Social Movements and Equality Seeking 1971-1995*, Toronto, University of Toronto Press, 1999, p. 150.

54 Mentionnons également que, parmi les acteurs rencontrés, une majorité de femmes travaillent dans les services sociaux et les services de santé. Sur 48 employés, 38 (donc 81 %) sont des femmes (médecin, infirmière, interprète, organisatrice communautaire, spécialiste en loisirs, intervenante en santé mentale). La majorité (54 %) est née au Québec, mais 31 % sont originaires de l'Ontario et 11 % de l'extérieur du Canada. Elles ont en moyenne de 26 à 45 ans et détiennent en majorité un diplôme universitaire.

Chapitre 2

55 Snow et Benford font référence à la notion de cadre ou de répertoire de cadres pour parler de la représentation ou de l'idéologie d'un groupe sur lesquelles se basent des acteurs pour donner sens à leurs actions. Ils déterminent les trois types d'opérations de cadrage spécifiques à la constitution d'un cadre : un premier cadre qui vise à donner une appréciation de la situation (*diagnostic framing*) ; un deuxième cadre dans lequel les acteurs proposent des solutions ou stratégies d'action particulières (*prognostic framing*) ; un troisième cadre sur la base duquel les acteurs vont tenter d'inciter les individus et groupes à l'action (*motivation framing*). Ainsi, l'action prend une dimension normative, symbolique et non uniquement calculatrice au sens de la théorie du choix rationnel. De plus, les opérations de cadrage des acteurs peuvent donner lieu à des opérations d'alignement entre individus et groupes (*frame alignment*) ou à un appel à la transformation du cadre dominant de perceptions (*master frame*). Pour plus de détails, voir David Snow et Robert Benford, « *Master Frames and Cycles of Protest* », dans Aldon D. Morris et Carol McClung Meuller (dir.), *Frontiers in Social Movement Theory*, New Haven, Yales University Press, 1992, p. 133-156.

56 Jacques Beauchemin, Gilles Bourque et Jules Duchastel, « Du providentialisme au néolibéralisme : de Marsh à Axworthy. Un nouveau discours de légitimation de la régulation sociale », *Cahiers de recherche sociologique*, n° 24, 1995, p. 15-47 ; voir aussi Jane Jenson et Susan D. Phillips, « *Regime Shift : New Citizenship Practices in Canada* », *Revue internationale d'études canadiennes*, 1996, n° 14, p. 111-135 ; Doug Owram, *The Government*

Generation : Canadian Intellectual and the State. 1900-1945, Toronto, University of Toronto Press, 1986.

57 J. Beauchemin *et al.*, art. cité, p. 27.

58 J. Jenson et S.D. Phillips, art. cité, p. 113.

59 Pour plus de détails, voir Réjean Pelletier, « Les partis politiques fédéraux », dans Manon Tremblay et Marcel Pelletier (dir.), *Le système parlementaire au Canada*, Sainte-Foy, PUL, 1997, p. 101-124.

60 Gilles Bourque *et al.*, *La société libérale duplessiste, 1944-1960*, Montréal, PUM, 1994.

61 Pour plus de détails, voir Léon Dion, *La révolution déroutée, 1960-1976*, Montréal, Boréal, 1999 ; pour une perspective contraire, voir Gilles Paquet, *Oublier la Révolution tranquille*, Montréal, Liber, 1999.

62 Pour une synthèse des événements clés de la période, voir J.F. Cardin et C. Couture, *op. cit.*

63 Que l'on pense à l'intolérance de Duplessis à l'égard des syndicats ou à la francophobie des différents gouvernements canadiens-anglais à l'égard des francophones de leur province.

64 Cité par Érik Neveu, *op. cit.*, p. 104.

65 J. Jenson et S.D. Philipps, art. cité, p. 119.

66 Pour plus de détails, voir Guy Laforest, *Trudeau et la fin d'un rêve canadien*, Sillery, Éditions du Septentrion, 1992.

67 Voir aussi les commentaires plus généraux sur la question dans l'article de Charles Tilly, « *From Interactions to Outcomes in Social Movements* », dans Marco Guigni, Doug McAdam et Charles Tilly (dir.), *op. cit.*, p. 253-271.

68 Pour une très bonne synthèse de la question, voir Léon Dion, *Le duel Québec-Canada*, Montréal, Boréal, 1995.

69 Le portrait que nous présentons dans les pages qui suivent découle de la synthèse du livre de J.F. Cardin et C. Couture ainsi que du texte de Donald Dennie, « La politique ontarienne et les Franco-Ontariens (1990-1995) », dans Joseph Yvon Thériault, *op. cit.*, p. 361-381.

70 Pour plus de détails, voir Sydney Tarrow, *Power in Movement : Social Movements, Collective Action and Politics*, Cambridge, Cambridge University Press, 1994 ; voir aussi É. Neveu, *op. cit.*, p. 101. Combinée avec la sociologie historique ou avec l'analyse institutionnelle, l'étude du contexte politique permet également d'analyser la portée des politiques du passé sur le présent.

71 J.F. Cardin et C. Couture, *op. cit.*, p. 293.

72 *Ibid.*, p. 295.

73 *Ibid.*, p. 296.
74 *Ibid.*, p. 301.
75 *Ibid.*, p. 297.
76 *Ibid.*
77 *Ibid.*, p. 300.
78 *Ibid.*, p. 304.
79 *Ibid.*, p. 308.
80 *Ibid.*, p. 302.
81 D. Dennie, art. cité, p. 374.
82 Une promesse que le NPD n'a pas tenue une fois au pouvoir.
83 Force est de constater qu'à l'époque, on associe toujours le Canada à une confédération et non uniquement à une fédération.
84 J.F. Cardin et C. Couture, *op. cit.*, p.305.
85 D. Dennie, art. cit., p. 375.
86 *Ibid.*, p. 307.
87 Pour plusieurs, Jean Chrétien est le maître d'œuvre de la *Loi constitutionnelle de 1982* et l'un des principaux détracteurs et responsables de l'échec de l'Accord du lac Meech. Chrétien ne voit pas pourquoi il faudrait réformer la Constitution canadienne.
88 J. Beauchemin *et al.*, art. cité, p. 38.
89 J. Jenson et S.D. Phillips, art. cité.
90 Voir Gilles Paquet, *op. cit.*
91 Jacques Beauchemin, « La question nationale québécoise : les nouveaux paramètres de l'analyse », *Recherches sociographiques*, vol. XXXIX, nos 2-3, 1998, p. 249-271.
92 Alain Dieckhoff, *La nation dans tous ses États. Les identités nationales en mouvement*, Paris, Flammarion, 2000, p. 33 ; voir également John F. Helliwell, *Globalization : Myths, Facts and Consequences*, Toronto, Insitut C.D. Howe 2000, p. 41.
93 Pour plus de détails, voir Linda Cardinal et Caroline Andrew, *La démocratie à l'épreuve de la gouvernance*, Ottawa, PUO, 2000.
94 Ces renseignements sont tirés de Marcel Martel, « Pourquoi la science politique boude-t-elle la francophonie ? », dans Jacques Cotnam, Yves Frenette et Agnès Whitfield (dir.), *op. cit.*, p. 185-203.
95 Voir Linda Cardinal, *L'engagement de la pensée. Écrire en milieu minoritaire francophone au Canada*, Ottawa, Le Nordir, 1997 ; voir aussi M. Martel, *op. cit.*
96 Les renseignements sur les mesures du gouvernement de Bill Davis à l'égard des francophones sont tirés du livre de Gilles Levasseur, *Le statut juridique en Ontario*, tome 1, *La législation et la jurisprudence provinciale*, Ottawa, PUO, 1993, de la synthèse de la politique ontarienne et de Donald Dennie, art. cité.

97 Gilles Levasseur, *op. cit.*, p. 44.
98 *Ibid.*
99 *Ibid.*, p. 45.
100 *Ibid.*
101 Pierre Foucher, « Les droits linguistiques au Canada », dans Joseph Yvon Thériault (dir.), *op. cit.*, p. 307-323.
102 Gilles Levasseur, *op. cit.*, p. 74.
103 Pour plus de détails, voir Danielle Juteau et Lise Séguin-Kimpton, « La collectivité franco-ontarienne : structuration d'un espace symbolique et politique », dans Cornelius Jaenen (dir.), *op. cit.*, p. 265-304.
104 Gilles Levasseur, *op. cit.*, p. 74.
105 *Les services du gouvernement de l'Ontario,* étude parrainée par le Coordonnateur provincial des services en français, Toronto, décembre 1981.
106 Gilles Levasseur, *op. cit.*, p. 75.
107 *Ibid.*, p. 75.
108 Pour une synthèse de la question, voir Louis-Gabriel Bordeleau, Roger Bernard et Benoît Cazabon, « L'éducation en Ontario français », dans Joseph Yvon Thériault (dir.), *op. cit.*, p. 435-473.
109 Gilles Levasseur, *op. cit.*, p. 125.
110 *Ibid.*, p. 125.
111 *Ibid.*, p. 202.
112 *Ibid.*
113 Pour plus de détails, voir M. Duguay, thèse citée.
114 Extrait du document *La Loi sur les services en français 1986. Guide pour la désignation des agences,* Gouvernement de l'Ontario, ministère de la Santé, s. d.
115 Pour plus de détails, voir Brigitte Bureau, *Mêlez-vous de vos affaires. 20 ans de luttes franco-ontariennes,* Vanier, ACFO, 1989.
116 L'honorable Bernard Grandmaître fait référence à ce projet lors des *Débats de l'Assemblée législative de l'Ontario sur la* Loi sur les services en français, Toronto, le 6 novembre 1986, p. 201.
117 *Débats de l'Assemblée législative de l'Ontario sur la* Loi sur les services en français, Toronto, le 1er mai 1986, p. 205. Dans le même discours, Bob Rae se prononce également en faveur de l'égalité entre les peuples fondateurs en Ontario. p. 205.
118 *Débats de l'Assemblée législative de l'Ontario sur la* Loi sur les services en français, Toronto, le 18 novembre 1986, p. 407.
119 *Ibid.*
120 L'article du *Toronto Star* date du 20 novembre 1986. Cité par Jacqueline Lalonde, « La minorité franco-ontarienne et la mise en œuvre de la *Loi de 1986 sur les services en français* », Université

d'Ottawa, département de sociologie, 1996, f. 45, thèse de maîtrise non publiée.

121 *The Toronto Star*, le 21 novembre 1986.

Chapitre 3

122 Jacques Dubois, « Pas de problème », dans *Rapport du comité d'action sur les services de santé en langue française*, Toronto, ministère de la Santé de l'Ontario, 1976, 264 p. Nous remercions Roxanne Deevey de nous avoir fourni ces renseignements.

123 Jacques Dubois, *op. cit.*, p. 142. Force est de constater que le statut de l'hôpital Montfort préoccupe le milieu gouvernemental depuis fort longtemps et non uniquement depuis 1998, lorsque la Commission de restructuration des services de santé en Ontario en recommandait la fermeture.

124 Comité des services en français, *Les professionnels francophones dans les services de santé et les services sociaux en Ontario*, Ottawa, CPSOC, 1982. Nous remercions Roxanne Deevey de nous avoir donné accès à ces documents.

125 *Ibid.* ; voir aussi Comité des services en français, *Les professionnels francophones dans les services de santé et les services sociaux en français. Rapport de situation*, Ottawa, CPSOC, 1985.

126 Pour plus de détails, voir les documents de synthèse réalisés par l'ACFO, *Rendons-nous service... Rapport synthèse du Forum sur les services sociaux et communautaires en français en Ontario*, Vanier, 1987 (document préparé sous la direction de René Guindon) ; *La loi 8 est-elle en santé ? Compte-rendu du forum sur les services de santé en français en Ontario*, Vanier, 1989.

127 *Rendons-nous service...*, *op. cit.*, p. 20.

128 *Ibid.*

129 *Ibid.*, p. 21.

130 *Ibid.*, p. 37.

131 *Ibid.*, p. 7.

132 *La Loi sur les services en français 1986. Guide pour la désignation des agences,* Gouvernement de l'Ontario, ministère de la Santé, s. d., p. 7.

133 Marc Cousineau, *op. cit.*

134 Jacques Dubois, *op. cit.*, p. 19.

135 Devenue, en 2000, le regroupement des *Canadians Against Bilingual Injustice.*

136 Bert Klandermans, art. cité.

Chapitre 4

137 Voir Roger Bernard, *À la défense de Montfort*, Ottawa, Le Nordir, 2000.

138 Raymond Breton, « La communauté ethnique, communauté politique », *Sociologie et sociétés*, vol. 15, n° 2, p. 23-37. Voir également les déclarations de R. Breton reprises dans le jugement Montfort.

139 Gratien Allaire, *op. cit.* ; G. Allaire rappelait la question comme une évidence à l'émission de la Société Radio-Canada, *Ontario 30*, le jeudi 23 décembre 1999 dans le cadre d'un entretien sur son ouvrage.

140 Sénateur Jean-Maurice Simard, rapport cité.

141 Geneviève Rail et Suzanne St-Pierre, *Dialogue Santé 1993. Dialogue sur les facteurs déterminants en matière de santé au sein des collectivités francophones de l'Ontario*, Ottawa, RNAÉF, 1993, p. 27. Je remercie Roxanne Deevey de m'avoir fourni ces renseignements.

142 Pour plus de détails, voir ACFO, *Les francophones tels qu'ils sont*, Vanier, 1986 ; voir aussi la mise à jour réalisée par Anne Gilbert et André Langlois, *Les réalités franco-ontariennes. Les francophones tels qu'ils sont*, Vanier, ACFO, 1994.

143 Toutefois, force est de constater que la question de la diversité oblige aussi les sociétés majoritaires à débattre de la question de leur identité, ce qu'elles s'obstinent souvent à ne pas faire.

Conclusion

144 Lors d'une allocution, Dyane Adam a dévoilé que près de la moitié des enfants ayant le droit de fréquenter une école francophone se trouvait dans les écoles anglophones de la province. Dyane Adam, Commissaire aux langues officielles, « La mission de l'instruction dans la langue de la minorité », *Allocution prononcée devant les États généraux sur la petite enfance*, Toronto, le 29 janvier 2000, p. 5.

145 C'est notamment ce que suggère André Burelle, *Le mal canadien. Essai de diagnostic et esquisse d'une thérapie*, Montréal, Fides, 1995.

146 Leslie A. Pal, *Interest of State*, Toronto, University of Toronto Press, 1993.

Carte des régions désignées bilingues en Ontario

Loi sur les services en français – Régions désignées

Les informations ci-dessous ne tiennent pas compte de la fusion de municipalités en 1998 et 1999.

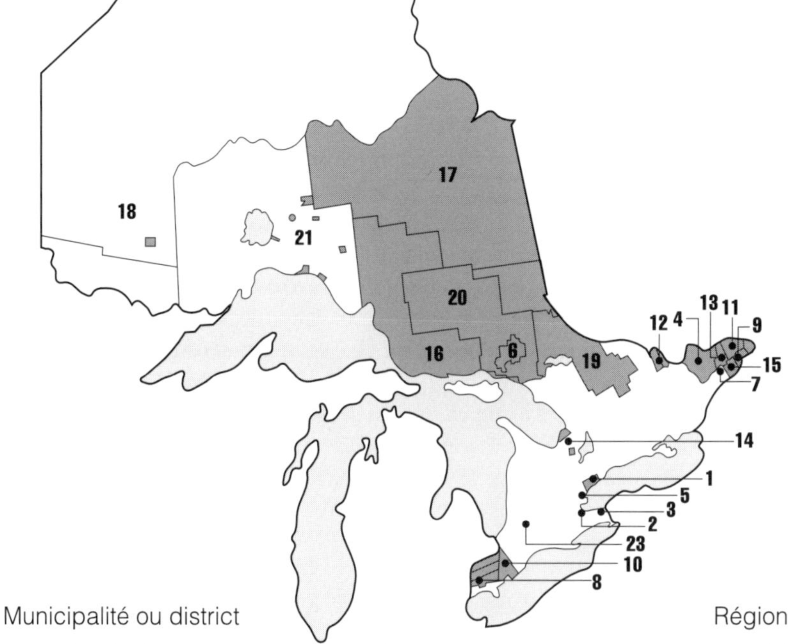

Municipalité ou district	Région
1. Municipalité de la communauté urbaine de Toronto	la totalité
2. Municipalité régionale de Hamilton-Wentworth	la cité de Hamilton
3. Municipalité régionale de Niagara	les cités de Port Colborne et Welland
4. Municipalité régionale d'Ottawa-Carleton	la totalité
5. Municipalité régionale de Peel	la cité de Mississauga
6. Municipalité régionale de Sudbury	la totalité
7. Comté de Dundas	le canton de Winchester
8. Comté d'Essex	les villes de Windsor, Belle River et Tecumseh, les cantons de Anderdon, Colchester North, Maidstone, Sandwich South, Sandwich West, Tilbury North, Tilbury West et Rochester
9. Comté de Glengarry	la totalité
10. Comté de Kent	la ville de Tilbury, les cantons de Dover et Tilbury East
11. Comté de Prescott	la totalité
12. Comté de Renfrew	la cité de Pembroke, les cantons de Stafford et Westmeath
13. Comté de Russell	la totalité
14. Comté de Simcoe	la ville de Penetanguishene, les cantons de Tiny et Essa
15. Comté de Stormont	la totalité
16. District d'Algoma	la totalité
17. District de Cochrane	la totalité
18. District de Kenora	le canton d'Ignace
19. District de Nipissing	la totalité
20. District de Sudbury	la totalité
21. District de Thunder Bay	les villes de Geraldton, Longlac et Marathon; les cantons de Manitouwadge, Beardmore, Nakina et Terrace Bay
22. District de Timiskaming	la totalité
23. Comté de Middlesex	la ville de London

Bibliographie

Adam, Dyane, Commissaire aux langues officielles (29 janvier 2000). « La mission de l'instruction dans la langue de la minorité », Allocution prononcée devant les États généraux sur la petite enfance, Toronto.

Ajzenstat, Janet *et al.* (dir.) (1999). *Canada's Founding Debater*, Toronto, Stoddart.

Allaire, Gratien (1999). *La francophonie canadienne. Portraits*, Sudbury/ Sainte-Foy, Prise de parole/PUL.

Amenta, Edwin, Bruce G. Carruthers et Yvonne Zylon (1992). « *A Hero for the Aged ? The Townsend Movement, the Political Mediation Model, and the U.S. Old-Age Policy, 1934-1950* », *American Journal of Sociology*, n° 98, p. 308-339.

Amenta, Edwin et Michael P. Young (1999). « *Making an Impact : Conceptual and Methodological Implications of the Collective Goods Criterion* », dans Marco Guigni, Doug McAdam et Charles Tilly (dir.), *Why Social Movements Matter*, Minneapolis, Minnesota University Press, p. 22-42.

Amenta, Edwin et Yvonne Zylon (1995). « *It Happened Here : Political Opportunity, the New Institutionalism, and the Townsend Movement* », dans Stanford M. Lyman (dir.), *Social Movements : Critiques, Concepts, Case Studies*, London, Macmillan, p. 199-223.

Andrew, Caroline, Clinton Archibald et Fred Caloren (1988). *Une communauté en colère. La grève contre Amoco Fabrics à Hawkesbury en 1980*, Hull, Éditions Asticou.

Andrew, Caroline, Lyne Bouchard, Françoise Boudreau, Linda Cardinal, Diane Farmer, Michèle Kérisit et Denise Lemire (1997). *Les conditions de possibilités des services de santé et des services sociaux en français en Ontario : un enjeu pour les femmes*, Ottawa, TFFCPO.

ACFO (1987). *Rendons-nous service... Rapport synthèse du Forum sur les services sociaux et communautaires en français en Ontario*, Vanier (document préparé sous la direction de René Guindon).

ACFO (1989). *La loi 8 est-elle en santé ? Compte-rendu du forum sur les services de santé en français en Ontario*, Vanier.

ACFO (2000). *Urgence d'agir. Nous sommes, nous serons. Mémoire sur la vitalité de notre communauté francophone et de son érosion par l'assimilation*, Toronto.

Atlas de la francophonie (site Internet consulté en novembre 2000). (http://franco.ca/atlas/francophonie/francais/impre.cfm?Id=8).

Baragoui, Rachid et Donald Dennie (printemps 1999). « Le développement économique communautaire : nouveau départ pour le mouvement associatif ontarien », *Reflets*, vol. 5, n° 1, p. 75-94.

Bass, Michel (1993). « Conjuguer santé et démocratie », *Informations sociales*, n° 26, p. 97-107.
Beauchemin, Jacques (1998). « La question nationale québécoise : les nouveaux paramètres de l'analyse », *Recherches sociographiques*, vol. 39, n°s 2-3, p. 249-271.
Beauchemin, Jacques, Gilles Bourque et Jules Duchastel (1995). « Du providentialisme au néolibéralisme : de Marsh à Axworthy. Un nouveau discours de légitimation de la régulation sociale », *Cahiers de recherche sociologique*, n° 24, p. 15-47.
Béland, Nathalie (1996). *Étude des besoins en santé de la population francophone des comtés de Stormont, Dundas et Glengarry, Cornwall*, Centre de santé communautaire de l'Estrie.
Bernard, Roger (1998). *Le Canada français : entre mythe et utopie*, Ottawa, Le Nordir.
Bernard, Roger (2000). *À la défense de Montfort*, Ottawa, Le Nordir.
Bordeleau, Louis-Gabriel, Roger Bernard et Benoît Cazabon (1999). « L'éducation en Ontario français », dans Joseph Yvon Thériault (dir.), *Francophonies minoritaires au Canada. L'état des lieux*, Moncton, Éditions de l'Acadie, p. 435-473.
Bouchard, Lyne et Linda Cardinal (automne 2000). « Les conditions de possibilités des services de santé et des services sociaux en français en Ontario : un enjeu pour les femmes », *Reflets*, vol. 6, n° 2, p. 111-125.
Boudreault, Françoise (1995). « La francophonie ontarienne au passé, au présent et au futur : bilan sociologique », dans Jacques Cotnam, Yves Frenette et Agnès Whitfield (dir.). *La francophonie ontarienne : bilan et perspectives de recherche*, Ottawa, Le Nordir, p. 17-51.
Bourque, Gilles, Jules Duchastel et Jacques Beauchemin (1995). *La société libérale duplessiste, 1944-1960*, Montréal, PUM.
Breton, Raymond (1964). « *Institutional Completedness of Ethnic Communities and Personal Relation of Immigrants* », *American Journal of Sociology*, vol. 70, p. 193-205.
Breton, Raymond (octobre 1983). « La communauté ethnique, communauté politique », *Sociologie et sociétés*, vol. 15, n° 2, p. 23-37.
Breton, Raymond (1985). « L'intégration des francophones hors Québec dans des communautés de langue française », *La revue de l'Université d'Ottawa*, vol. 55, n° 2, p. 77-98
Breton, Raymond (printemps 1994). « Les modalités d'appartenance aux communautés francophones minoritaires », *Sociologie et sociétés*, vol. 26, n° 1, p. 59-69.
Bureau, Brigitte (1989). *Mêlez-vous de vos affaires. 20 ans de luttes franco-ontariennes*, Vanier, ACFO.
Burelle, André (1995). *Le mal canadien. Essai de diagnostic et esquisse d'une thérapie*, Montréal, Fides.

Burnstein, Paul (1999). « *Social Movements and Public Policy* », dans Marco Guigni, Doug McAdam et Charles Tilly (dir.), *Why Social Movements Matter*, Minneapolis, Minnesota University Press, p. 3-22.

Cardin, Jean-François et Claude Couture (1996), *Histoire du Canada. Espace et différences*, Sainte-Foy, PUL.

Cardinal, Linda (1992). « Théoriser la double spécificité des Franco-Ontariennes », dans *Relevons le défi*, Ottawa, PUO.

Cardinal, Linda (1997). *L'engagement de la pensée. Écrire en milieu minoritaire francophone au Canada*, Ottawa, Le Nordir.

Cardinal, Linda (1998). « Des femmes d'action : l'autre histoire de l'Ontario français, de 1969 à 1982 », dans Monique Hébert, Nathalie Kermoal et Phyllis Leblanc (dir.), *Entre le quotidien et la politique. Facettes de l'histoire des femmes francophones en milieu minoritaire*, Ottawa, RNAÉF, p. 159-191.

Cardinal, Linda et Caroline Andrew (2000). *La démocratie à l'épreuve de la gouvernance*, Ottawa, PUO.

Cardinal, Linda, Jean Lapointe et Joseph Yvon Thériault (1994). *État de la recherche sur les communautés francophones vivant à l'extérieur du Québec*, Ottawa, CRCCF/PUO.

Carrière, Richard (1995). « La Loi 8 et les services sociaux destinés aux familles francophones », dans C. Bernier, S. Larocque et M. Aumond (dir.), *Familles francophones, multiples réalités*, Sudbury, Institut franco-ontarien.

Castonguay, Charles (1996). «L'intérêt particulier de la démographie pour le fait français au Canada», dans Jürgen Erfurt (dir.), *De la polyphonie à la symphonie. Méthodes, théories et faits de la recherche pluridisciplinaire sur le fait français au Canada*, Leipzig, Leipziger Universitätsverlag, p. 3-19.

Castonguay, Charles (1999). « Évolution démographique des Franco-Ontariens entre 1971 et 1991 », dans Normand Labrie *et al.* (dir.), *L'enjeu de la langue en Ontario français*, Sudbury, Prise de parole, p. 15-32.

Castonguay, Charles (1999). « *Getting the Facts Straight on French : Reflections Following the 1996 Census* », *Inroads*, n° 8, p. 57-77.

Cholette, Chantal (1997). *Annonces gouvernementales faites lors de la « méga-semaine »*, Ottawa, Convergence/TFFCPO.

Choquette, Robert (1981). *L'Ontario français. Historique,* Montréal, Études vivantes.

Coderre, Cécile (1995). « La santé, en français s'il-vous-plaît », *Reflets*, vol. 1, n° 2, p. 38-72.

Comité des services en français (1982). *Les professionnels francophones dans les services de santé et les services sociaux en Ontario*, Ottawa, CPSOC.

Comité des services en français (1985). *Les professionnels francophones dans*

les services de santé et les services sociaux en français. Rapport de situation, Ottawa, CPSOC.
Commission de restructuration des services de santé (1997). *Vision et conception du système de santé de l'Ontario*, Toronto, Gouvernement de l'Ontario.
CPSOC (mars 1999). *Une histoire de deux mondes*, Ottawa.
Cotnam, Jacques, Yves Frenette et Agnès Whitefield (1995). *La francophonie ontarienne : bilan et perspectives de recherche*, Ottawa, Le Nordir.
Coulombe, Danielle (1999). *Coloniser et enseigner. Le rôle du clergé et la contribution des Sœurs de Notre-Dame du Perpétuel Secours à Hearst 1917-1942*, Ottawa, Le Nordir.
Cour divisionnaire de l'Ontario, *Jugement Montfort*, 1999.
Cousineau, Marc (1997). *L'utilisation du français au sein du système judiciaire de l'Ontario ; un droit à parfaire*, Sudbury, Institut franco-ontarien.
Couture, Claude (6 mars 1997). « Opinion. La révolution Klein », Montréal, *Le Devoir*, p. A6.
Couturier, Jacques Paul *et al.* (1996). *Un passé composé. Le Canada de 1850 à nos jours*, Moncton, Les Éditions d'Acadie.
Cresson, Geneviève (1995). *Le travail domestique de santé*, Paris, l'Harmattan.

Dallaire, Christine (mai-août 1995). « Le projet sportif des organismes franco-ontariens », *Recherches sociographiques*, vol. 36, nº 2, p. 243-263.
Della Porta, Donatella et Mario Diani (1999). *Social Movements. An Introduction*, London, Blackwell.
Denault, Anne-Andrée et Linda Cardinal (1999). « L'équité et les francophones ontariens », *Recherches sociographiques*, vol. 40, nº 1, p. 83-103.
Dennie, Donald (1999). « La politique ontarienne et les Franco-Ontariens », dans Joseph Yvon Thériault (dir.), *Francophonies minoritaires au Canada. L'état des lieux*, Moncton, Éditions d'Acadie, p. 361-381.
Dieckhoff, Alain (2000). *La nation dans tous ses États. Les identités nationales en mouvement*, Paris, Flammarion.
Dion, Léon (1995). *Le duel Québec-Canada*, Montréal, Boréal.
Dion, Léon (1998). *La révolution déroutée*, Montréal, Boréal.
Dubois, Jacques (1976). « Pas de problème », *Rapport du comité d'action sur les services de santé en langue française*. Toronto, ministère de la Santé de l'Ontario.
Duguay, Mireille (1991). « *La loi de 1986 sur les services en français*, du manifeste au symbolique », Université d'Ottawa, département de science politique, thèse de maîtrise non publiée.
Farmer, Diane (1997). *Les artisans de la modernité*, Ottawa, PUO.
Francophonie ontarienne : l'Ontario français dans toute sa diversité ethnocul-

turelle et des minorités raciales au fait français en Ontario (site Internet consulté en novembre 2000). (http://franco.on.ca/.)
Frenette, Yves (1998). *Brève histoire du Canada français*, Montréal, Boréal.

Gaffield, Chad (1993). *Aux origines de l'identité franco-ontarienne. Éducation, culture et économie, Ottawa*, PUO.
Gervais, Gaétan (1999). « L'histoire de l'Ontario français (1610-1997) », dans Joseph Yvon Thériault (dir.), *Francophonies minoritaires au Canada. L'état des lieux*, Moncton, Les Éditions d'Acadie, p. 145-161.
Gervais, Gaétan (1995). « L'Ontario français, 1821-1910 » , dans Cornelius Jaenen (dir.), *Les Franco-Ontariens*, Ottawa, PUO, p. 49-125.
Gilbert, Anne (1999). *Espaces franco-ontariens*, Ottawa, Le Nordir.
Gilbert, Anne et André Langlois (1994). *Les réalités franco-ontariennes. Les francophones tels qu'ils sont*, Ottawa, ACFO.
Gouvernement de l'Ontario (1981). *Les services en français du gouvernement de l'Ontario*, étude parrainée par le Coordonnateur provincial des services en français, Queen's Park, Gouvernement de l'Ontario.
Gouvernement de l'Ontario, Conseil du premier ministre sur la santé, le bien-être et la justice sociale (1993). *Prendre soin de la santé : un regard neuf sur ce qui nous tient en santé*, Toronto, Imprimeur de la Reine pour l'Ontario.
Gouvernement de l'Ontario (1997). *Loi sur les services en français, Codification administrative*, Toronto, Imprimeur de la Reine pour l'Ontario.
Gouvernement de l'Ontario, ministère de la Santé (s. d.). *La Loi sur les services en français 1986. Guide pour la désignation des agences*, Toronto, Imprimeur de la Reine pour l'Ontario.
Guigni, Marco (1999). « *Introduction. How Social Movements Matter : Past Research, Present Problems, Future Developments* », dans Marco Guigni, Doug McAdam et Charles Tilly (dir.), *How Social Movements Matter*, Minneapolis, Minnesota University Press, p. xiii-xxxiii.

Heller, Monica (1999). *Linguistic minorities and modernity : a sociolinguistic ehtnography*, London/New York, Addison Wesley Longman.
Helliwell, John F. (2000). *Globalization : Myths, Facts and Consequences*, Toronto, Institut C.D. Howe.

Jaenen, Cornelius (1995). *Les Franco-Ontariens*, Ottawa, PUO.
Jenson, Jane et Susan D. Phillips (1996). « *Regime Shift : New Citizenship Practices in Canada* », *International Journal of Canadian Studies*, nº 14, p. 111-135.
Juteau, Danielle (1999), « Français, Français d'Amérique, Canadiens, Canadiens français, Franco-Ontariens, Ontarois : qui sommes-nous ? », dans *L'ethnicité et ses frontières*, Montréal, PUM, p. 39-60.

Juteau, Danielle et Lise Séguin-Kimpton, « La collectivité franco-ontarienne : structuration d'un espace symbolique et politique », dans Cornelius Jaenen (dir.), *Les Franco-Ontariens*, Ottawa, PUO, p. 265-304.
Klandermans, Bert, « *The Social Construction of Protest and Multiorganizational Fields* », dans Aldon D. Morris et Carol McClung Mueller (dir.), *Frontiers in Social Movement Theory*, New Haven, Yale University Press, p. 133-156.

Labrie, Normand *et al.* (1999). *L'enjeu du français en Ontario*, Sudbury, Prise de parole.
Laforest, Guy (1992). *Trudeau et la fin d'un rêve canadien*, Sillery, Éditions du Septentrion.
Lalonde, Jacqueline (1996). « La minorité franco-ontarienne et la mise en œuvre de la *Loi de 1986 sur les services en français* », Université d'Ottawa, département de sociologie, thèse de maîtrise non publiée.
Levasseur, Gilles, *Le statut juridique du français en Ontario*, tome 1, *La législation et la jurisprudence provinciale*, Ottawa, PUO, 1993.
Lévy, Laurette et Monica Heller (1993). « Vivre sur une frontière linguistique », dans Linda Cardinal (dir.), *Une langue qui pense*, Ottawa, PUO.

Martel, Marcel (1995). « Pourquoi la science politique boude-t-elle la francophonie ? », dans Jacques Cotnam, Yves Frenette et Agnès Whitfield (dir.), *La francophonie ontarienne : bilan et perspectives de recherche*, Ottawa, Le Nordir, p.185-203.
Martel, Marcel (1997). *Le deuil d'un pays imaginé*, Ottawa, PUO.
Martel, Marcel avec la collaboration de Robert Choquette (1998). *Les États généraux du Canada français. Trente ans après*, Ottawa, CRCCF.
Melluci, Alberto (1988). *Nomads of the Present*, London, Verso.
Melluci, Alberto (1997). « *The Symbolic Challenge of Contemporary Movements* », dans Steven M. Buechler et F. Kurt Cylke, J[r] (dir.), *Social Movements. Perspectives and Issues*, Mountain View, Califormia, Mayfield Publishing Comparny, p. 259-274.
Michaud, Jacinthe (1996). « Le mouvement féministe sur la santé des femmes : forces et limites de sa formation discursive et des conditions d'émergence du côté de l'espace public », dans Dyane Adam (dir.), *Femmes francophones et pluralisme en milieu minoritaire*, Ottawa, PUO, p. 73-88.

Nduwimana, Mathilde (1994). *Vers des services de soutien communautaires attirants, accessibles et pertinents aux besoins des personnes âgées des groupes ethniques francophones*, Université d'Ottawa, École de service social, mémoire de maîtrise non publié.
Nduwimana, Mathilde et Alice Homes (printemps 1995). « Vers des

services attirants, accessibles et pertinents pour les personnes âgées immigrantes francophones », *Reflets*, vol. 1, nº 1, p. 92-122.
Neveu, Érik (1996). *Sociologie des mouvements sociaux*, Paris, La Découverte.

Office des affaires francophones (1996). *Les femmes francophones en Ontario. Profil statistique*, Toronto.
Office des affaires francophones (site Internet consulté en novembre 2000). (http://www.ofa.gov.on.ca :80/francais/docs/overv-f.pdf).
Ouellet, Fernand (1995). « L'évolution de la présence francophone en Ontario : une perspective économique et sociale », dans Cornelius Jaenen (dir.), *Les Franco-Ontariens*, Ottawa, PUO, p. 127-199.
Owram, Doug (1986). *The Government Generation : Canadian Intellectual and the State. 1900-1945*, Toronto, University of Toronto Press.

Paquet, Gilles (1998). *Oublier la Révolution tranquille*, Montréal, Liber.
Pelletier, Réjean (1997). « Les partis politiques fédéraux », dans Manon Tremblay et Marcel Pelletier (dir.), *Le système parlementaire au Canada*, Sainte-Foy, PUL, p. 101-124.
Phillips, Susan D. (1999). « *Social Movements in Canadian Politics. Past Their Apex ?* », dans James Bickerton et Alain-G. Gagnon (dir.), *Canadian Politics*, Scarborough, Broadview Press, p. 371-391.
Pichette, Jean (13-14 janvier 1996). « Harris inquiète les francophones ontariens », Montréal, *Le Devoir*, p. A1-A12.

Rail, Geneviève et Suzanne St-Pierre (1993). *Dialogue Santé 1993. Dialogue sur les facteurs déterminants en matière de santé au sein des collectivités francophones de l'Ontario*, Ottawa, RNAÉF.
Ralph, D., N. St-Amand et A. Régimbald (1997). *Open for Business, Closed to People. Mike Harris Ontario*, Halifax, Fernwood Press.
Reflets (automne 1995). « "Nager à contre-courant comme des saumons...": les défis d'un centre de santé communautaire francophone en Ontario », Entrevue avec Wesley Romulus, *Reflets*, vol. 1, nº 2, p. 19-35.

Savard, Pierre (1995). « Les relations avec le Québec », dans Cornelius Jaenen (dir.). *Les Franco-Ontariens*, Ottawa, PUO, p. 231-263.
Simard, Jean-Maurice, sénateur (1999). *De la coupe aux lèvres : un coup de cœur se fait attendre. Le développement et l'épanouissement des communautés francophones et acadiennes : une responsabilité fondamentale du Canada*, Ottawa, Le Sénat du Canada.
Skocpol, Theda (1993). « Formation de l'État et politiques sociales américaines », *Actes de la recherche en sciences sociales*, nºs 96-97, p. 21-37.

Skocpol, Theda (1994). *Protecting Soldiers and Mothers*, Cambridge, Massachusetts, Harvard University Press.
Smith, Miriam (1999). *Lesbian and Gay Rights in Canada. Social Movements and Equality-Seeking, 1971-1995*, Toronto, University of Toronto Press.
Smith, Miriam (1998). « Nationalisme et politiques des mouvements sociaux : les droits des gais et lesbiennes et l'incidence de la Charte canadienne au Québec », *Politique et sociétés*, vol. 17, nº 3, p. 113-140.
Snow, David et Robert Benford (1992). « *Master Frames and Cycles of Protest* », dans Aldon D. Morris et Carol McClung Mueller (dir.), *Frontiers in Social Movement Theory*, New Haven, Yale University Press, p. 133-156.
St-Amand, Néré et Duong Vuong, avec la participation de Michèle Kérisit (1994). *Familles pauvres : alternatives aux interventions actuelles*, Université d'Ottawa, École de service social.
Statistique Canada (site Internet consulté en septembre 2000). *Le Canada en statistiques.* (http://www.statcan.ca/francais/People popula_f.htm#dem).
Sylvestre, Paul-François (1999). « La culture en Ontario français : du cri identitaire à la passion de l'excellence », dans Joseph Yvon Thériault (dir.), *Francophonies minoritaires au Canada. L'état des lieux, Moncton*, Éditions de l'Acadie, p. 537-551.

Tarrow, Sydney (1992). « *Mentalities, Political Cultures, and Collective Action Frames : Consrucating Meanings Through Action* », dans Aldon D. Morris et Carol McClung Mueller (dir.), *Frontiers in Social Movement Theory*, New Haven, Yale University Press, p. 174-203.
Tarrow, Sydney (1994). *Power in Movement. Social Movements, Collective Action and Politics*, London, Cambridge University Press.
Tilly, Charles (1999). « *From Interactions to Outcomes in Social Movements* », dans Marco Guigni, Doug McAdam et Charles Tilly (dir.), *Why Social Movements Matter*, Minneapolis, Minnesota University Press, p. 253-271.
Touraine, Alain (1978). *La voix et le regard*, Paris, Éditions du Seuil.
Touraine, Alain (1993). *La production de la société*, Paris, Fayard.

Vipond, Robert (1991). *Liberty and Community : Canadian Federalism and the Failure of the Constitution.*

Tableau des sigles

Association canadienne-française de l'Ontario (ACFO)
Association for the Preservation of English in Canada (APEC)
Canadians Against Bilingualism Injustice (CABI)
Centre de recherche en civilisation canadienne-française (CRCCF)
Conseil de l'éducation franco-ontarienne (CEFO)
Conseil de planification sociale d'Ottawa-Carleton (CPSOC)
Conseil des affaires francophones de l'Ontario (CAFO)
Conseil régional de santé (CRS)
Cooperative Commonwealth Federation (CCF)
Réseau national d'action éducation femmes (RNAÉF)
Table féministe francophone de concertation provinciale de l'Ontario (TFFCPO)

Table des matières

Achevé d'imprimer
en mars deux mille un, sur les presses
de l'Imprimerie Gauvin, Hull, Québec